監修 川島隆太 教

改訂版

元気脳練習帳

脳が活性化する 大人のおもしろ算数脳ドリル

●解答はP130～151

3日＝？ 時間

Gakken

本書「脳ドリル」で脳活性が実証されました

脳の前頭前野の機能低下を防ぎましょう

　年齢を重ねていくうちに物忘れが多くなり、記憶力や注意力、判断力の衰えが始まります。

　このような衰えの原因は、脳の前頭葉にある前頭前野の機能が低下したことによるものです。脳が行う情報処理、行動・感情の制御はこの前頭前野が担っており、社会生活を送る上で非常に重要な場所です。

　そこで、脳の機能を守るためには、前頭前野の働きを活発にすることが必要となってきます。

脳の活性化を調べる実験をしました

　脳の前頭前野を活発にする作業は何なのか、多数の実験を東北大学と学研の共同研究によって行いました。そのときの様子が右の写真です。

　足し算や掛け算などの様々な単純計算、音読、なぞり書きの書写、イラスト間違い探し、文字のパズル、また写経やオセロ、積み木など幅広い作業を光トポグラフィという装置を使い、作業ごとに脳の血流の変化を調べていきました。

本書「脳ドリル」の実験風景

脳の血流変化を調べた実験画像

▼ 実験前（安静時） ▼ 脳ドリルの実験

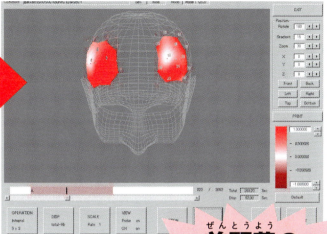

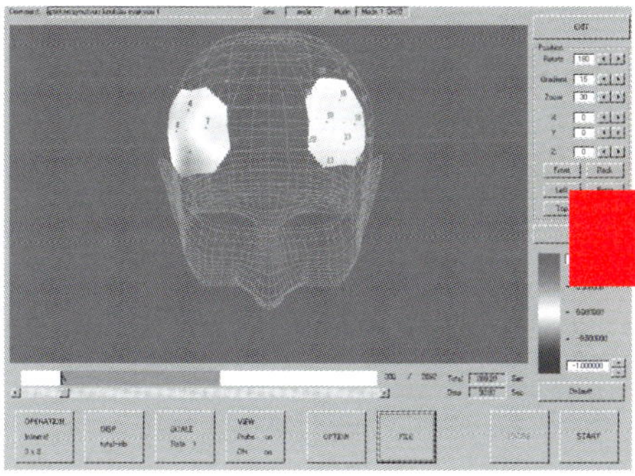

前頭葉の血流が増えて活性化！

脳ドリルで前頭葉の働きがアップします！

　実験の結果、本書に掲載している計算問題（足し算、引き算、掛け算、割り算）に取り組むと、上の画像のとおり前頭葉の血流が増え、脳が非常に活性化していることが判明しました。

　計算問題は情報処理力を使い、さらに手先をデリケートに動かすため、前頭葉の働きを活発に高める効果があります。本書「脳ドリル」で脳の活性化が実証されたのです。

監修 **川島隆太**（東北大学教授）

前頭前野をきたえる習慣が大切

脳の機能低下は前頭前野の衰えが原因です

「知っている人の名前が出てこない」「台所にきたのに、何をしにきたのかわからない」そんな経験をしたことはありませんか。

脳の機能は、実は20歳から低下しはじめることがわかっており、歳をとり、もの忘れが多くなるのは、自然なことです。ただし、脳の衰えに対して何もしなければ、前頭前野の機能は下がっていくばかり。

やがて、社会生活を送ることが困難になっていきます。

人間らしい生活に重要な「前頭前野」の働き

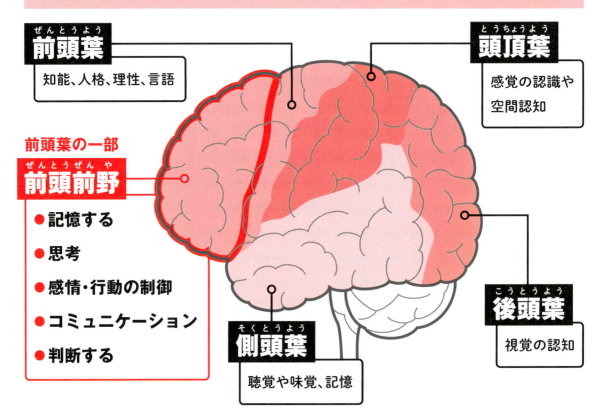

前頭葉
知能、人格、理性、言語

頭頂葉
感覚の認識や空間認知

前頭葉の一部 前頭前野
- 記憶する
- 思考
- 感情・行動の制御
- コミュニケーション
- 判断する

側頭葉
聴覚や味覚、記憶

後頭葉
視覚の認知

何歳でも脳トレで認知機能が向上！

脳を正しくきたえ脳機能の低下を防ぐ

　歳をとれば体の働きが低下するのと同じように、脳の働きも低下していきます。しかし、何もしないで歳をとるのは賢くありません。脳の健康を保つための習慣を身につければ、歳をとってもいきいきと暮らすことができるのです。

　私たちの研究では、どの年代であっても、脳をきたえると脳の認知機能が向上することが証明されています。

　体の健康のために体を動かすのと同様に、前頭前野（ぜんとうぜんや）を正しくきたえることで、機能の低下を防ぎ、活発に働くように保つことができるのです。特に有効な作業が、実際に手を使って文字や数字を書くこと。そうです、わかりやすくいえば、「読み書き計算」です。

本書に直接書き込み、脳をきたえましょう

　では、テレビを見たり、スマホを使ったりするときの脳は働いているでしょうか？

　実は、このときの脳の前頭前野（ぜんとうぜんや）はほとんど使われていません。

　パソコンやスマホで文字を入力する際には、画面に出てくる漢字の候補を選択するだけですから、漢字を書く手間も思い出す手間もいらないため、脳を働かせていないわけです。

　鉛筆を手に持ち、頭を働かせながら誌面に数字を直接書き込み、脳をきたえましょう。

　毎日たった10〜15分でいいのです。脳の健康を守ることを習慣づけましょう。

1日 ■ しりとり計算

※解答は130ページ以降です。　月　日　得点　／14

スタートから順に、計算した答えを□に書き込んで、ゴールまで進みましょう。

1. 3 + 11 ⇒ □ − 6 ⇒ □ + 1 ⇒ □ × 7 ⇒ □
2. 33 − 6 ⇒ □ ÷ 3 ⇒ □ − 2 ⇒ □ × 3 ⇒ □
3. 15 + 3 ⇒ □ ÷ 6 ⇒ □ × 3 ⇒ □ + 4 ⇒ □
4. 33 − 8 ⇒ □ ÷ 5 ⇒ □ − 2 ⇒ □ + 6 ⇒ □
5. 31 − 3 ⇒ □ ÷ 4 ⇒ □ + 1 ⇒ □ × 9 ⇒ □
6. 39 − 2 ⇒ □ − 7 ⇒ □ ÷ 6 ⇒ □ + 8 ⇒ □
7. 17 − 7 ⇒ □ + 5 ⇒ □ ÷ 5 ⇒ □ × 6 ⇒ □
8. 29 + 9 ⇒ □ − 3 ⇒ □ ÷ 7 ⇒ □ × 8 ⇒ □
9. 4 + 17 ⇒ □ − 8 ⇒ □ + 9 ⇒ □ − 7 ⇒ □
10. 36 + 4 ⇒ □ ÷ 5 ⇒ □ + 4 ⇒ □ − 5 ⇒ □
11. 3 + 28 ⇒ □ − 4 ⇒ □ ÷ 9 ⇒ □ × 4 ⇒ □
12. 3 × 8 ⇒ □ ÷ 4 ⇒ □ + 15 ⇒ □ ÷ 3 ⇒ □
13. 32 ÷ 8 ⇒ □ × 9 ⇒ □ − 8 ⇒ □ + 3 ⇒ □
14. 38 + 1 ⇒ □ − 7 ⇒ □ ÷ 4 ⇒ □ × 5 ⇒ □

■ 時間の筆算

※解答は130ページ以降です。 得点 /21

時間の足し算や引き算です。○時間○分と答えましょう。

1 　3時間40分
　＋2時間10分
　　時間　　分

2 　5時間25分
　－2時間21分
　　時間　　分

3 　4時間33分
　＋5時間16分
　　時間　　分

4 　2時間48分
　＋11時間 3分
　　時間　　分

5 　13時間45分
　－ 4時間25分
　　時間　　分

6 　20時間32分
　－ 6時間18分
　　時間　　分

7 　6時間21分
　＋4時間30分
　　時間　　分

8 　7時間35分
　－1時間16分
　　時間　　分

9 　13時間26分
　＋19時間 7分
　　時間　　分

10 　38時間31分
　＋ 5時間18分
　　時間　　分

11 　20時間45分
　－ 2時間12分
　　時間　　分

12 　45時間52分
　－18時間51分
　　時間　　分

13 　 4時間10分
　＋30時間47分
　　時間　　分

14 　19時間15分
　＋12時間25分
　　時間　　分

15 　2時間50分
　＋1時間20分
　　時間　　分

16 　10時間30分
　－ 5時間50分
　　時間　　分

17 　6時間32分
　－3時間42分
　　時間　　分

18 　7時間29分
　＋2時間41分
　　時間　　分

19 　5時間35分
　＋3時間45分
　　時間　　分

20 　4時間10分
　－1時間40分
　　時間　　分

21 　12時間30分
　－ 3時間50分
　　時間　　分

2日 ツリー足し算

線でつながったマスの数どうしを足します。□にあてはまる答えを書きましょう。

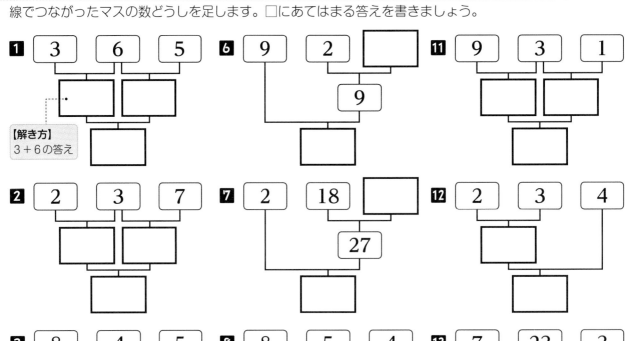

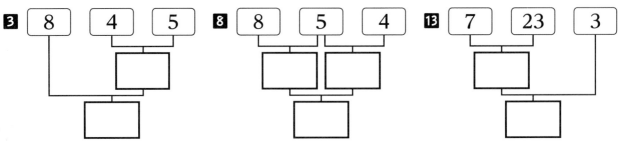

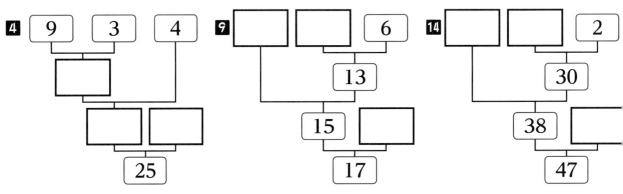

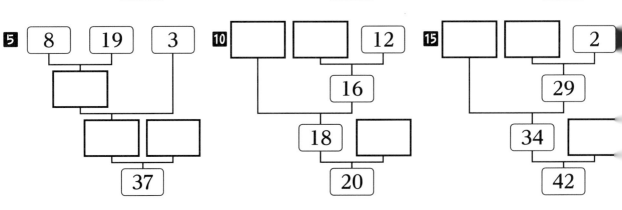

筆算

次の筆算をしましょう。

① 61+55	⑦ 43+23	⑬ 41+68	⑲ 57+24
② 45−10	⑧ 45−24	⑭ 96−24	⑳ 52−12
③ 22×27	⑨ 26×23	⑮ 34×13	㉑ 62×58
④ 26+21	⑩ 67+76	⑯ 36+25	㉒ 78+28
⑤ 97−90	⑪ 70−24	⑰ 47−39	㉓ 87−46
⑥ 36×72	⑫ 59×49	⑱ 47×91	㉔ 32×42

3日 ■ 長方形の面積

1の式のように、次の長方形の面積を求めましょう。

1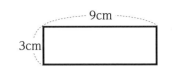

縦 × 横 = 面積
□ × □ = □ cm²

2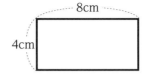

面積 □ cm²

3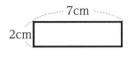

面積 □ cm²

4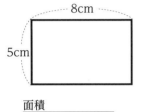

面積 □ cm²

5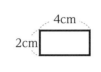

面積 □ cm²

6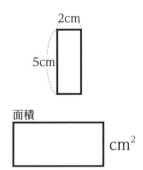

面積 □ cm²

7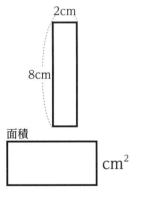

面積 □ cm²

8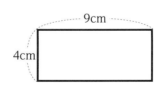

面積 □ cm²

9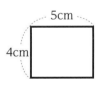

面積 □ cm²

10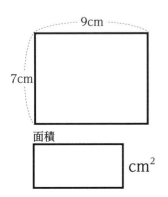

面積 □ cm²

11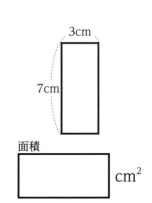

面積 □ cm²

12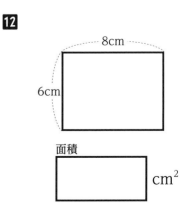

面積 □ cm²

■ 2つの数と3つの数の計算

次の計算をしましょう。

1. 26 + 8 + 2 =
2. 30 ÷ 5 =
3. 5 + 9 =
4. 31 − 2 + 9 =
5. 10 + 9 + 6 =
6. 7 + 4 =
7. 36 − 9 + 3 =
8. 8 × 7 =
9. 8 + 36 =
10. 6 × 6 =
11. 6 + 7 − 3 =
12. 7 + 36 − 5 =
13. 32 − 5 =
14. 8 × 6 =
15. 25 − 7 =
16. 38 + 3 =
17. 11 − 8 − 2 =
18. 20 + 3 − 8 =
19. 12 ÷ 2 =
20. 5 − 3 =
21. 18 ÷ 3 =
22. 35 − 5 − 2 =
23. 8 − 4 =
24. 26 − 4 + 7 =
25. 13 + 5 =
26. 4 × 6 =
27. 2 + 13 + 8 =
28. 30 + 9 − 5 =
29. 2 × 7 =
30. 16 ÷ 8 =
31. 35 − 8 + 5 =
32. 8 + 11 − 5 =
33. 10 − 7 =
34. 18 ÷ 9 =
35. 8 + 8 =
36. 35 ÷ 7 =
37. 35 − 8 =
38. 4 + 26 =
39. 26 − 8 =

4日 ■ 時間の計算

□にあてはまる数を書きましょう。

1. 1分10秒 = □ 秒
2. 7時間 = □ 分
3. 2分6秒 = □ 秒
4. 1分28秒 = □ 秒
5. 1時間40分 = □ 分
6. 5分 = □ 秒
7. 2時間20分 = □ 分
8. 6分2秒 = □ 秒
9. 3時間15分 = □ 分
10. 3日 = □ 時間
11. 2時間17分 = □ 分
12. 1日6時間 = □ 時間
13. 2日1時間 = □ 時間

時間の足し算や引き算です。○時間○分と答えましょう。

14. 2時間10分 + 3時間25分 = □時間 □分
15. 12時間56分 − 6時間32分 = □時間 □分
16. 26時間2分 − 6時間1分 = □時間 □分
17. 9時間30分 + 4時間16分 = □時間 □分
18. 8時間20分 + 12時間50分 = □時間 □分
19. 18時間17分 − 16時間10分 = □時間 □分
20. 22時間32分 − 4時間12分 = □時間 □分
21. 14時間5分 + 8時間55分 = □時間 □分
22. 13時間42分 + 5時間6分 = □時間 □分
23. 5時間54分 + 3時間21分 = □時間 □分
24. 9時間38分 − 7時間36分 = □時間 □分
25. 6時間31分 + 11時間24分 = □時間 □分
26. 13時間24分 − 2時間25分 = □時間 □分

■ マス計算（足し算10〜30マス）

縦の段と横の段の足し算をしましょう。

1

+	2	8	1	0	4	7	3	9	5	6
7										

【解き方】7＋2の答え　【解き方】7＋8の答え

2

+	4	5	8	3	6	0	9	1	7	2
8										

3

+	0	4	9	1	7	8	6	5	3	2
5										
6										

【解き方】6＋0の答え　【解き方】6＋4の答え

4

+	10	16	13	14	17	11	12	15	19	18
2										
1										
9										

5

+	12	19	10	16	14	11	13	17	15	18
4										
3										
5										

5日 ■ 1つの穴あき計算

□にあてはまる数を書きましょう。

1. □ − 4 = 10
2. 63 ÷ □ = 9
3. 7 + □ = 13
4. □ × 9 = 18
5. 18 ÷ □ = 2
6. □ − 3 = 2
7. 6 ÷ □ = 3
8. □ + 6 = 10
9. 2 × □ = 12
10. □ ÷ 2 = 5
11. □ + 4 = 12
12. 25 ÷ □ = 5
13. □ − 5 = 3

14. 1 + □ = 3
15. 56 ÷ □ = 7
16. □ − 8 = 5
17. □ × 6 = 30
18. 7 − □ = 6
19. 15 − □ = 12
20. □ + 6 = 11
21. 9 × □ = 18
22. 3 + □ = 6
23. □ × 9 = 36
24. 13 − □ = 11
25. 14 − □ = 5
26. 21 ÷ □ = 3

27. 29 − □ = 22
28. 10 − □ = 8
29. 5 × □ = 40
30. 5 + □ = 8
31. □ ÷ 8 = 0
32. 17 − □ = 13
33. □ × 8 = 24
34. 5 + □ = 14
35. □ + 9 = 12
36. □ ÷ 4 = 8
37. □ − 6 = 2
38. □ × 3 = 15
39. □ + 13 = 13

■ 3つの穴あき計算

□にあてはまる数を書きましょう。（例：**1**は 63÷7＝81÷□で 63÷7＝□×9 です）

1 63÷7＝□＝81÷□＝□×9　　**14** 33＋9＝□＝6×□＝□＋37

2 9－4＝□＝15÷□＝□－6　　**15** 17＋9＝□＝35－□＝□＋20

3 12÷4＝□＝24÷□＝□－7　　**16** 18÷6＝□＝6－□＝□÷9

4 2×7＝□＝8＋□＝□－1　　**17** 2×8＝□＝25－□＝□×4

5 20＋7＝□＝32－□＝□×9　　**18** 7×6＝□＝34＋□＝□－2

6 21－4＝□＝4＋□＝□－2　　**19** 21－9＝□＝2×□＝□＋8

7 18－2＝□＝4×□＝□＋9　　**20** 28－8＝□＝4×□＝□＋7

8 8×3＝□＝28－□＝□＋9　　**21** 8－2＝□＝12÷□＝□＋3

9 2÷2＝□＝1×□＝□－6　　**22** 2×5＝□＝3＋□＝□－4

10 20÷5＝□＝8－□＝□÷2　　**23** 6×3＝□＝20－□＝□＋6

11 9－2＝□＝35÷□＝□×1　　**24** 18－9＝□＝3×□＝□＋5

12 7＋10＝□＝24－□＝□＋11　　**25** 17＋8＝□＝28－□＝□×5

13 29－3＝□＝6＋□＝□＋2　　**26** 3×4＝□＝15－□＝□×6

6日

■ 魔方陣

月　日　得点　／11

★ 縦・横・斜めに足した数の**合計が 15** になるように、□にあてはまる数を書きましょう。

□	1	□
□	A	7
4	9	B

各列の合計15のとき

解き方
Aは縦を見て、1＋9＝10　15－10＝5
Bは横を見て、4＋9＝13　15－13＝2
2つの数字が書かれている列に注目して、数字を入れていきましょう。

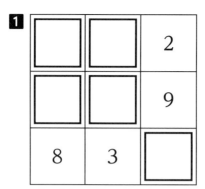

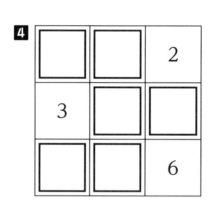

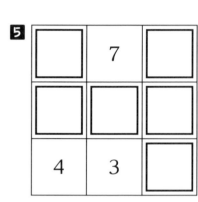

1

□	□	2
□	□	9
8	3	□

2

□	3	□
9	□	□
2	□	6

3

6	□	8
7	□	3
□	□	□

4

□	□	2
3	□	□
□	□	6

5

□	7	□
□	□	□
4	3	□

★ 縦・横・斜めに足した数の**合計が同じ**になるように、□にあてはまる数を書きましょう。

6

11	□	□
6	10	14
□	□	□

7

□	□	□
4	8	12
11	□	□

8

8	□	□
3	7	□
10	□	□

9

□	□	3
□	6	8
9	□	□

10

□	15	8
□	11	□
□	7	□

11

□	□	15
12	14	16
□	□	□

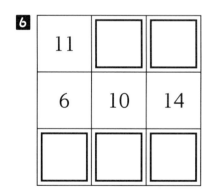

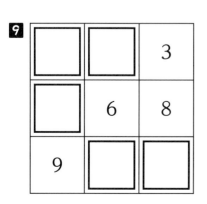

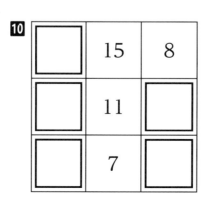

■ 時間の計算

得点 ／26

時間の足し算や引き算です。○時間○分と答えましょう。

1. 30時間10分－23時間 7 分＝ 時間 分
2. 17時間14分＋22時間 2 分＝ 時間 分
3. 18時間43分－ 4 時間19分＝ 時間 分
4. 49時間48分－34時間35分＝ 時間 分
5. 23時間19分＋11時間49分＝ 時間 分
6. 27時間20分－26時間 8 分＝ 時間 分
7. 20時間15分－10時間56分＝ 時間 分
8. 9 時間20分＋19時間 8 分＝ 時間 分
9. 15時間28分＋29時間21分＝ 時間 分
10. 3 時間48分－ 1 時間45分＝ 時間 分
11. 25時間27分－13時間32分＝ 時間 分
12. 2 時間42分＋24時間40分＝ 時間 分
13. 39時間27分－19時間 8 分＝ 時間 分
14. 38時間58分－16時間48分＝ 時間 分
15. 36時間18分＋ 5 時間54分＝ 時間 分
16. 39時間58分－ 1 時間 6 分＝ 時間 分
17. 6 時間31分＋11時間49分＝ 時間 分
18. 46時間53分－19時間50分＝ 時間 分
19. 8 時間 4 分＋ 5 時間52分＝ 時間 分
20. 20時間27分＋12時間24分＝ 時間 分
21. 25時間41分＋23時間12分＝ 時間 分
22. 42時間42分－42時間20分＝ 時間 分
23. 36時間41分－31時間17分＝ 時間 分
24. 3 時間21分＋33時間 9 分＝ 時間 分
25. 21時間 9 分＋ 1 時間49分＝ 時間 分
26. 13時間57分＋27時間25分＝ 時間 分

7日 ■ マス足し算

月　日　得点　／7

上の段と下の段の足し算です。下の段に数字を入れましょう。

1 足して **12** になるように、下の段に数を書きましょう。（例：一番左は 4＋□＝12）

4	8	9	1	6	11	0	10	7	2

2 足して **21** になるように、下の段に数を書きましょう。

14	9	5	17	18	6	4	21	16	15

3 足して **36** になるように、下の段に数を書きましょう。

1	29	8	26	23	34	35	11	5	3

4 足して **29** になるように、下の段に数を書きましょう。

24	15	27	11	20	13	21	3	22	17

5 足して **17** になるように、下の段に数を書きましょう。

9	12	2	4	11	15	13	7	1	8

6 足して **25** になるように、下の段に数を書きましょう。

6	16	4	2	22	8	14	5	24	21

7 足して **31** になるように、下の段に数を書きましょう。

22	25	14	5	23	12	26	8	16	28

■ ツリー足し算

得点 /15

線でつながったマスの数どうしを足します。□にあてはまる答えを書きましょう。

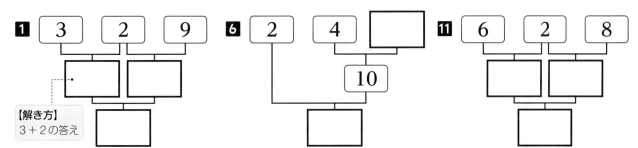
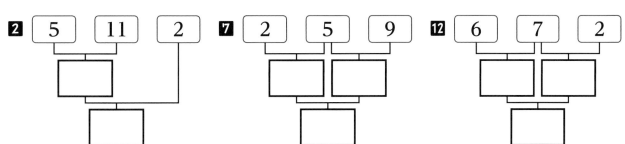
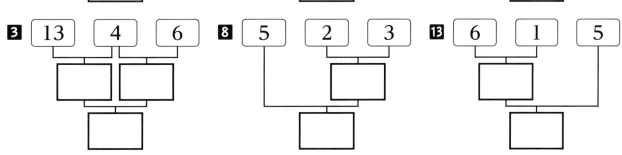
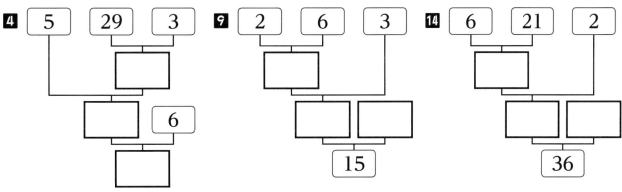
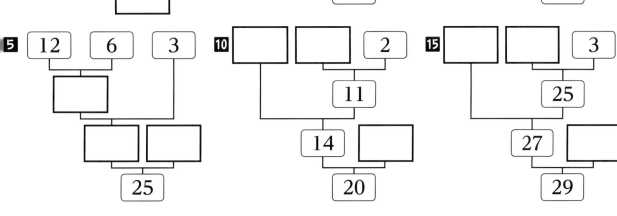

8日 ■ 筆算

次の筆算をしましょう。

1	20 + 49	7	42 + 57	13	56 + 55	19	76 + 41
2	77 − 35	8	62 − 17	14	65 − 15	20	75 − 72
3	11 × 91	9	52 × 33	15	37 × 61	21	31 × 32
4	13 + 66	10	43 + 80	16	23 + 90	22	10 + 13
5	70 − 62	11	99 − 76	17	61 − 11	23	85 − 69
6	23 × 74	12	14 × 58	18	78 × 12	24	62 × 78

■ 立体の体積

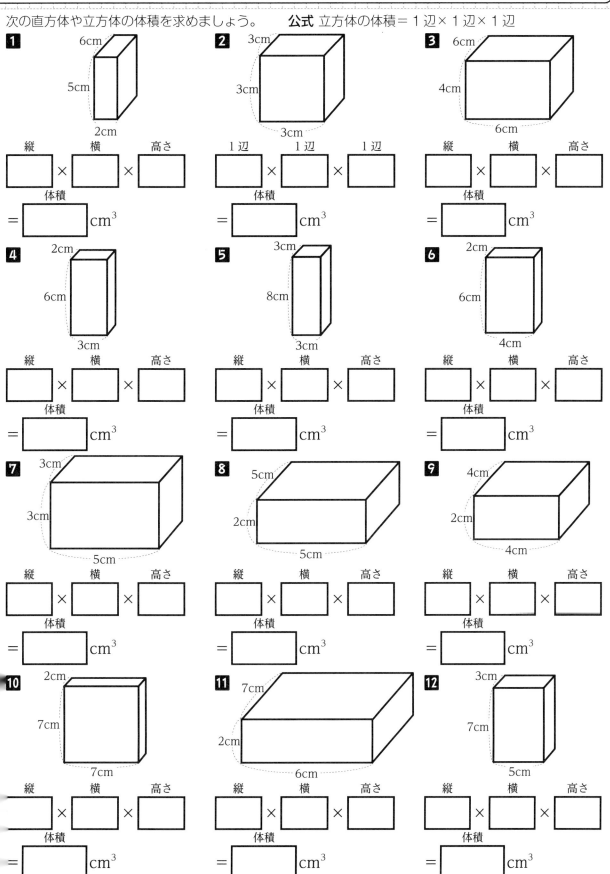

次の直方体や立方体の体積を求めましょう。　**公式** 立方体の体積＝1辺×1辺×1辺

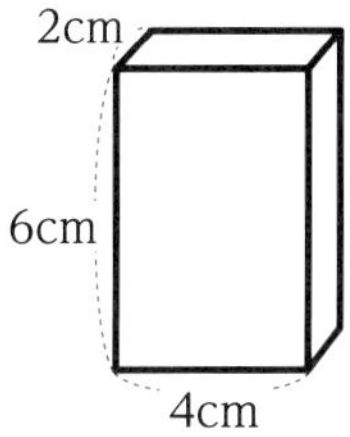

9日 しりとり計算 月 日 得点 /14

スタートから順に、計算した答えを□に書き込んで、ゴールまで進みましょう。

1. 24 − 6 ⇒ □ − 9 ⇒ □ ÷ 3 ⇒ □ × 5 ⇒ □
2. 8 + 34 ⇒ □ ÷ 7 ⇒ □ + 31 ⇒ □ − 8 ⇒ □
3. 9 × 3 ⇒ □ + 3 ⇒ □ − 6 ⇒ □ ÷ 3 ⇒ □
4. 4 + 14 ⇒ □ ÷ 2 ⇒ □ × 4 ⇒ □ − 5 ⇒ □
5. 6 + 34 ⇒ □ ÷ 8 ⇒ □ + 27 ⇒ □ ÷ 4 ⇒ □
6. 13 − 4 ⇒ □ × 3 ⇒ □ − 9 ⇒ □ ÷ 3 ⇒ □
7. 8 − 3 ⇒ □ × 4 ⇒ □ − 8 ⇒ □ + 5 ⇒ □
8. 22 − 9 ⇒ □ + 5 ⇒ □ ÷ 6 ⇒ □ × 4 ⇒ □
9. 27 + 5 ⇒ □ ÷ 8 ⇒ □ × 5 ⇒ □ + 8 ⇒ □
10. 16 − 7 ⇒ □ × 5 ⇒ □ − 9 ⇒ □ ÷ 6 ⇒ □
11. 6 + 10 ⇒ □ − 9 ⇒ □ × 0 ⇒ □ + 4 ⇒ □
12. 33 − 4 ⇒ □ + 5 ⇒ □ − 7 ⇒ □ ÷ 3 ⇒ □
13. 3 + 39 ⇒ □ ÷ 6 ⇒ □ − 3 ⇒ □ × 9 ⇒ □
14. 8 + 9 ⇒ □ − 4 ⇒ □ + 7 ⇒ □ ÷ 5 ⇒ □

■ 積み木の体積

得点　／8

積み木１個は1cm^3。Ⓐブロック、Ⓑブロック、Ⓒブロックを足して体積を求めましょう。

1

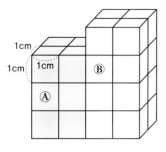

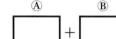

Ⓐ［　　］＋Ⓑ［　　］＝体積［　　］cm^3

2

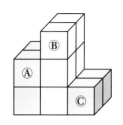

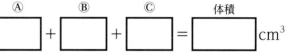

Ⓐ［　　］＋Ⓑ［　　］＋Ⓒ［　　］＝体積［　　］cm^3

3

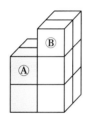

Ⓐ［　　］＋Ⓑ［　　］＝体積［　　］cm^3

4

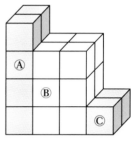

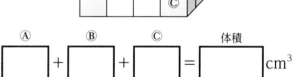

Ⓐ［　　］＋Ⓑ［　　］＋Ⓒ［　　］＝体積［　　］cm^3

5

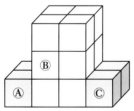

Ⓐ［　　］＋Ⓑ［　　］＋Ⓒ［　　］＝体積［　　］cm^3

6

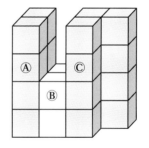

Ⓐ［　　］＋Ⓓ［　　］＋Ⓒ［　　］＝体積［　　］cm^3

7

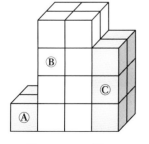

Ⓐ［　　］＋Ⓑ［　　］＋Ⓒ［　　］＝体積［　　］cm^3

8

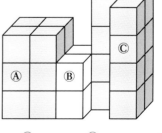

Ⓐ［　　］＋Ⓑ［　　］＋Ⓒ［　　］＝体積［　　］cm^3

10日 ■ 1つの穴あき計算

□にあてはまる数を書きましょう。

1. $20 - \square = 12$
2. $7 + \square = 8$
3. $54 \div \square = 6$
4. $\square - 4 = 6$
5. $24 - \square = 16$
6. $\square - 7 = 7$
7. $\square \times 2 = 4$
8. $6 + \square = 27$
9. $\square + 12 = 15$
10. $\square + 1 = 10$
11. $3 + \square = 10$
12. $\square - 3 = 5$
13. $\square \div 9 = 5$

14. $7 \times \square = 21$
15. $12 - \square = 9$
16. $\square \div 8 = 5$
17. $2 + \square = 4$
18. $8 - \square = 2$
19. $6 \times \square = 54$
20. $24 \div \square = 8$
21. $\square + 7 = 9$
22. $10 \div \square = 2$
23. $4 \times \square = 28$
24. $4 + \square = 9$
25. $3 \times \square = 21$
26. $\square \div 3 = 5$

27. $\square + 7 = 12$
28. $20 + \square = 28$
29. $20 - \square = 18$
30. $\square \times 4 = 8$
31. $\square \div 7 = 2$
32. $6 + \square = 12$
33. $16 - \square = 13$
34. $8 \times \square = 40$
35. $8 + \square = 11$
36. $\square \times 3 = 12$
37. $\square + 3 = 5$
38. $15 - \square = 14$
39. $13 - \square = 4$

■ 3つの穴あき計算

得点 ／26

□にあてはまる数を書きましょう。解き方は 15 ページ。

1 $36 \div 6 = \square = 2 \times \square = \square - 6$

2 $3 \times 10 = \square = 38 - \square = \square + 26$

3 $27 - 9 = \square = 9 \times \square = \square - 5$

4 $9 \div 1 = \square = 11 - \square = \square \div 4$

5 $7 \times 2 = \square = 23 - \square = \square + 8$

6 $30 - 7 = \square = 21 + \square = \square + 6$

7 $9 + 3 = \square = 3 \times \square = \square - 6$

8 $4 + 19 = \square = 32 - \square = \square + 5$

9 $18 - 2 = \square = 6 + \square = \square \times 4$

10 $9 \times 4 = \square = 38 - \square = \square + 7$

11 $9 \div 9 = \square = 10 - \square = \square \div 7$

12 $34 - 4 = \square = 3 \times \square = \square + 21$

13 $0 \div 8 = \square = 16 \times \square = \square - 2$

14 $4 + 6 = \square = 12 - \square = \square + 8$

15 $2 \times 4 = \square = 7 + \square = \square - 8$

16 $17 - 7 = \square = 5 \times \square = \square + 6$

17 $19 - 7 = \square = 2 \times \square = \square - 6$

18 $5 \times 7 = \square = 37 - \square = \square + 9$

19 $54 \div 6 = \square = 81 \div \square = \square \times 1$

20 $16 \div 4 = \square = 3 + \square = \square - 6$

21 $22 - 7 = \square = 11 + \square = \square \times 5$

22 $16 + 6 = \square = 31 - \square = \square + 18$

23 $2 \times 9 = \square = 22 - \square = \square \times 3$

24 $12 \div 2 = \square = 13 - \square = \square + 4$

25 $4 \times 6 = \square = 32 - \square = \square + 9$

26 $8 \times 2 = \square = 23 - \square = \square \times 4$

11日 ■ マス計算（足し算10〜30マス）　月　日　得点　／5

縦の段と横の段の足し算をしましょう。解き方は13ページ。

1

+	5	6	3	1	7	9	0	8	4	2
1										

【解き方】1＋5の答え

2

+	8	0	2	6	9	4	3	5	1	7
7										

3

+	14	10	16	11	19	18	17	12	13	15
9										
2										

4

+	21	22	20	29	23	24	26	28	25	27
3										
8										
6										

5

+	38	31	32	33	34	30	36	39	35	37
4										
7										
5										

■ 魔方陣 ※解き方は16ページ。

得点 ／12

★ 縦・横・斜めに足した数の**合計が 27** になるように、□にあてはまる数を書きましょう。

1

12		10
		11
	13	

2

10		
	9	
12	7	

3

13	9	
6	11	

4

	13	6
	9	11

5

10		
	9	7

6

6		
8	7	

★ 縦・横・斜めに足した数の**合計が同じ**になるように、□にあてはまる数を書きましょう。

7

7		
	6	
	10	5

8

7		5
	8	
		9

9

		9
8		16
		11

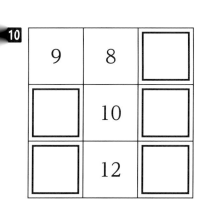

10

9	8	
	10	
	12	

11

	3	
2	7	6

12

		14
		9
	11	16

12日 2つの数と3つの数の計算

次の計算をしましょう。

1. 30 + 9 =
2. 9 − 7 + 28 =
3. 21 ÷ 3 =
4. 6 + 22 + 2 =
5. 27 − 2 =
6. 25 + 3 − 8 =
7. 8 + 5 =
8. 40 ÷ 8 =
9. 18 − 3 + 9 =
10. 6 − 2 + 5 =
11. 2 + 9 =
12. 3 × 4 =
13. 4 ÷ 2 =
14. 11 + 8 =
15. 9 × 7 =
16. 6 + 29 + 3 =
17. 37 − 4 =
18. 32 − 6 − 8 =
19. 30 ÷ 6 =
20. 8 + 16 − 6 =
21. 22 − 5 =
22. 7 × 7 =
23. 15 ÷ 3 =
24. 2 + 8 + 23 =
25. 9 + 9 =
26. 18 − 9 − 2 =
27. 8 + 5 + 9 =
28. 24 ÷ 4 =
29. 26 − 5 =
30. 17 − 5 − 6 =
31. 14 − 3 =
32. 8 × 4 =
33. 25 + 8 =
34. 15 − 6 =
35. 7 − 2 + 24 =
36. 12 + 8 − 9 =
37. 20 + 2 =
38. 13 − 8 =
39. 21 − 7 + 3 =

穴あき筆算 /28

□にあてはまる数を書きましょう。

1) 5**6** + **2**6 = 82

2) 5**9** − **3**5 = 24

3) **5**2 + 4**9** = 101

4) 6**6** − **5**7 = 9

5) **5**7 + 3**0** = 87

6) **9**9 − 7**9** = 20

7) 8**0** − **3**1 = 49

8) **6**0 + 8**8** = 148

9) **4**5 − 2**1** = 24

10) **3**2 − 1**9** = 13

11) 1**1** + **7**5 = 86

12) **7**8 − 2**5** = 53

13) 4**1** − **3**2 = 9

14) **5**8 + 1**3** = 71

15) 5**0** − **1**6 = 34

16) **6**2 − 4**2** = 20

17) **5**0 + 3**2** = 82

18) 6**2** − **3**9 = 23

19) 9**5** − **8**8 = 7

20) 3**0** + **9**4 = 124

21) **7**7 − 3**6** = 41

22) **9**6 + 2**2** = 118

23) **7**7 + 2**9** = 106

24) 7**5** − **2**0 = 55

25) 6**4** + **6**1 = 125

26) 8**9** + **3**4 = 123

27) 1**9** + **3**1 = 50

28) 1**8** + **5**9 = 77

13日 ■ ツリー足し算

月　日　得点　／15

線でつながったマスの数どうしを足します。□にあてはまる答えを書きましょう。

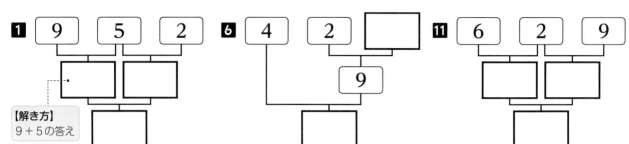
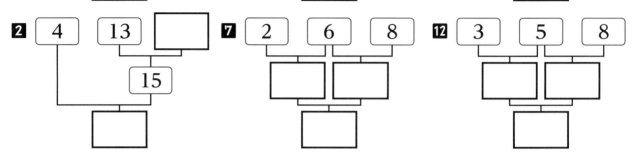
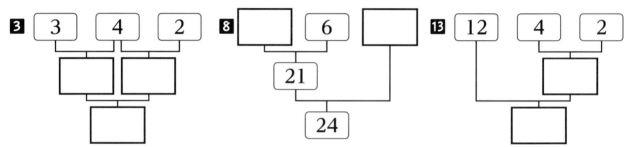
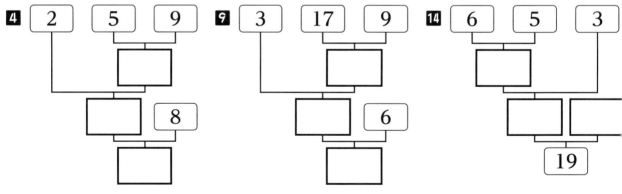
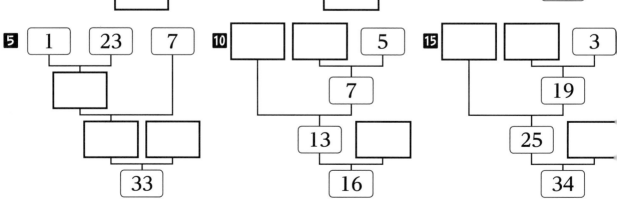

筆算

次の筆算をしましょう。

1) 77 + 21

2) 98 − 68

3) 39 × 19

4) 96 + 74

5) 53 − 19

6) 12 × 24

7) 35 + 16

8) 86 − 57

9) 57 × 49

10) 10 + 47

11) 78 − 51

12) 38 × 72

13) 86 + 54

14) 74 − 44

15) 21 × 57

16) 58 + 51

17) 94 − 84

18) 12 × 94

19) 74 + 28

20) 68 − 67

21) 55 × 13

22) 18 + 51

23) 67 − 65

24) 77 × 22

14日 ■ 時間の計算

□にあてはまる数を書きましょう。

1. 2 分 = □ 秒
2. 1 時間 11 分 = □ 分
3. 3 分 30 秒 = □ 秒
4. 5 時間 15 分 = □ 分
5. 1 分 39 秒 = □ 秒
6. 4 時間 = □ 分
7. 2 分 26 秒 = □ 秒
8. 3 時間 7 分 = □ 分
9. 1 日 = □ 時間
10. 1 分 59 秒 = □ 秒
11. 1 時間 47 分 = □ 分
12. 2 日 12 時間 = □ 時間
13. 1 日 17 時間 = □ 時間

時間の足し算や引き算です。○時間○分と答えましょう。

14. 7 時間 10 分 + 42 時間 4 分 = □時間 □分
15. 15 時間 27 分 + 14 時間 27 分 = □時間 □分
16. 12 時間 25 分 − 2 時間 21 分 = □時間 □分
17. 5 時間 11 分 + 37 時間 38 分 = □時間 □分
18. 37 時間 53 分 − 13 時間 47 分 = □時間 □分
19. 44 時間 39 分 − 33 時間 13 分 = □時間 □分
20. 21 時間 23 分 − 18 時間 19 分 = □時間 □分
21. 1 時間 58 分 + 20 時間 20 分 = □時間 □分
22. 19 時間 30 分 − 12 時間 16 分 = □時間 □分
23. 7 時間 24 分 + 5 時間 44 分 = □時間 □分
24. 24 時間 21 分 + 3 時間 0 分 = □時間 □分
25. 40 時間 50 分 − 25 時間 28 分 = □時間 □分
26. 16 時間 25 分 + 17 時間 34 分 = □時間 □分

■ マス引き算

得点 /7

下の段に引き算した答えを書きましょう。

1 上の段から **4** を引く。(例：一番左は 38−4=□)

38	33	21	35	26	9	23	27	28	19

2 上の段から **5** を引く。

33	38	28	35	26	31	37	29	9	34

3 上の段から **9** を引く。

28	12	13	32	11	27	14	36	38	26

4 上の段から **2** を引く。

34	24	14	35	23	27	16	18	13	11

5 上の段から **6** を引く。

7	27	29	31	32	21	22	6	10	39

6 上の段から **7** を引く。

27	30	29	31	15	26	32	38	14	11

7 上の段から **3** を引く。

15	34	27	35	26	11	21	22	17	16

15日 ■ 1つの穴あき計算

□にあてはまる数を書きましょう。

1. □ × 8 = 72
2. □ + 7 = 14
3. □ + 10 = 19
4. □ ÷ 5 = 6
5. □ × 4 = 16
6. 24 ÷ □ = 6
7. 8 − □ = 4
8. 42 ÷ □ = 6
9. 17 − □ = 15
10. □ × 9 = 45
11. 2 + □ = 6
12. □ ÷ 2 = 2
13. 10 + □ = 15
14. 2 × □ = 10
15. □ ÷ 7 = 8
16. □ − 2 = 5
17. □ × 9 = 63
18. 16 − □ = 14
19. □ ÷ 9 = 8
20. 10 + □ = 14
21. 16 − □ = 15
22. □ + 8 = 14
23. □ ÷ 6 = 6
24. □ + 7 = 16
25. 3 − □ = 1
26. □ ÷ 3 = 7
27. 5 × □ = 35
28. 18 + □ = 23
29. 8 + □ = 17
30. 3 × □ = 9
31. □ + 5 = 13
32. □ + 8 = 15
33. □ − 9 = 14
34. 35 ÷ □ = 7
35. □ × 4 = 20
36. □ − 3 = 14
37. □ ÷ 2 = 7
38. 25 − □ = 17
39. □ + 5 = 16

■ 3つの穴あき計算

□にあてはまる数を書きましょう。解き方は 15 ページ。

1 22 − 4 = □ = 2 × □ = □ − 1　　**14** 4 × 9 = □ = 39 − □ = □ + 28

2 8 ÷ 2 = □ = 12 − □ = □ ÷ 6　　**15** 12 − 4 = □ = 2 × □ = □ − 5

3 4 × 8 = □ = 38 − □ = □ + 8　　**16** 20 − 6 = □ = 7 × □ = □ − 2

4 4 + 24 = □ = 31 − □ = □ × 7　　**17** 7 + 20 = □ = 9 × □ = □ − 8

5 3 × 5 = □ = 9 + □ = □ − 8　　**18** 8 × 4 = □ = 37 − □ = □ + 23

6 36 − 4 = □ = 4 × □ = □ + 24　　**19** 29 − 2 = □ = 3 × □ = □ + 21

7 10 ÷ 5 = □ = 5 − □ = □ ÷ 4　　**20** 72 ÷ 9 = □ = 1 × □ = □ ÷ 3

8 12 − 9 = □ = 9 ÷ □ = □ − 8　　**21** 15 − 3 = □ = 7 + □ = □ × 3

9 9 + 21 = □ = 36 − □ = □ + 23　　**22** 3 + 13 = □ = 4 × □ = □ − 8

10 15 − 5 = □ = 2 × □ = □ − 8　　**23** 72 ÷ 8 = □ = 3 × □ = □ − 5

11 35 ÷ 5 = □ = 42 ÷ □ = □ − 6　　**24** 2 × 2 = □ = 12 − □ = □ + 1

12 12 ÷ 6 = □ = 10 ÷ □ = □ × 2　　**25** 7 × 4 = □ = 19 + □ = □ − 3

13 3 × 8 = □ = 19 + □ = □ − 1　　**26** 12 + 2 = □ = 2 × □ = □ − 5

16日 マス足し算

上の段と下の段の足し算です。下の段に数字を入れましょう。

1 足して **33** になるように、下の段に数を書きましょう。（例：一番左は 27＋□＝33）

27	25	24	5	0	32	4	8	30	3

2 足して **25** になるように、下の段に数を書きましょう。

19	17	9	3	18	23	12	1	7	20

3 足して **31** になるように、下の段に数を書きましょう。

27	30	13	6	19	3	11	7	9	24

4 足して **15** になるように、下の段に数を書きましょう。

2	5	12	7	3	9	1	11	8	6

5 足して **18** になるように、下の段に数を書きましょう。

7	6	9	10	16	1	5	15	18	12

6 足して **23** になるように、下の段に数を書きましょう。

20	3	9	21	18	17	15	11	5	23

7 足して **38** になるように、下の段に数を書きましょう。

34	16	37	14	36	27	32	25	6	4

■ 時間の筆算

時間の足し算や引き算です。○時間○分と答えましょう。

1 6時間20分 + 3時間15分 = 9時間35分

2 18時間48分 − 16時間7分 = 2時間41分

3 18時間11分 + 10時間5分 = 28時間16分

4 29時間52分 − 21時間11分 = 8時間41分

5 23時間17分 + 4時間34分 = 27時間51分

6 33時間16分 − 4時間8分 = 29時間8分

7 12時間25分 + 4時間15分 = 16時間40分

8 7時間20分 + 22時間50分 = 30時間10分

9 16時間40分 + 31時間45分 = 48時間25分

10 24時間10分 − 12時間2分 = 12時間8分

11 47時間24分 − 1時間54分 = 45時間30分

12 6時間14分 + 23時間25分 = 29時間39分

13 27時間11分 + 7時間53分 = 35時間4分

14 27時間11分 + 7時間1分 = 34時間12分

15 9時間12分 − 7時間18分 = 1時間54分

16 12時間25分 + 15時間9分 = 27時間34分

17 2時間34分 + 14時間43分 = 17時間17分

18 35時間12分 − 7時間23分 = 27時間49分

19 17時間41分 − 5時間57分 = 11時間44分

20 31時間49分 + 15時間9分 = 46時間58分

21 8時間49分 + 4時間20分 = 13時間9分

17日 魔方陣 ※解き方は16ページ。

★ 縦・横・斜めに足した数の**合計が18**になるように、□にあてはまる数を書きましょう。

1
	2	
4		8
5		

2
7		3
2	6	

3
5	4	
10		
		7

4
	2	9
	10	5

5
5		
4		
	2	

6
		7
5		9

★ 縦・横・斜めに足した数の**合計が同じ**になるように、□にあてはまる数を書きましょう。

7
8		
	9	11
		10

8
8	3	10
	11	

9
		11
5	12	7

10
14	16	18
		17

11
		11
14	13	18

12
7		
	11	
9	8	13

■ 2つの数と3つの数の計算　　　得点 /39

次の計算をしましょう。

1 32 − 3 =

2 36 + 5 − 7 =

3 6 × 9 =

4 4 + 38 − 3 =

5 16 − 7 =

6 8 − 7 + 24 =

7 2 ÷ 2 =

8 37 + 2 + 5 =

9 25 + 9 =

10 3 + 33 + 5 =

11 18 ÷ 6 =

12 13 − 7 + 2 =

13 10 − 6 =

14 5 + 7 − 11 =

15 8 × 9 =

16 19 − 6 =

17 63 ÷ 7 =

18 6 + 17 =

19 36 − 6 + 5 =

20 6 + 32 − 3 =

21 6 ÷ 6 =

22 8 + 3 =

23 27 − 8 =

24 12 ÷ 4 =

25 15 + 7 =

26 7 + 6 =

27 4 + 9 =

28 26 + 7 =

29 20 − 3 − 4 =

30 18 + 9 + 8 =

31 3 × 7 =

32 25 + 3 =

33 2 × 6 =

34 17 − 3 − 2 =

35 14 − 8 =

36 28 + 4 − 9 =

37 20 ÷ 4 =

38 38 − 8 =

39 31 − 5 − 8 =

18日 ツリー足し算 /15

線でつながったマスの数どうしを足します。□にあてはまる答えを書きましょう。

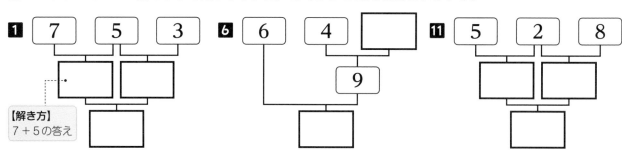
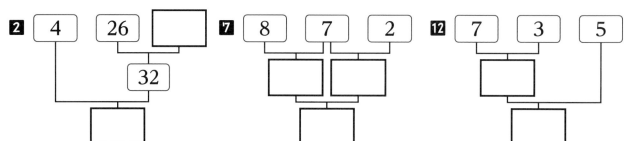
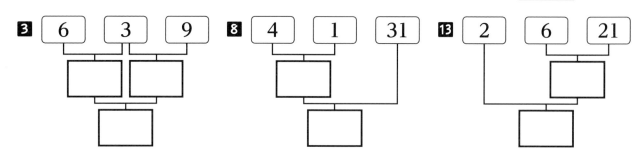
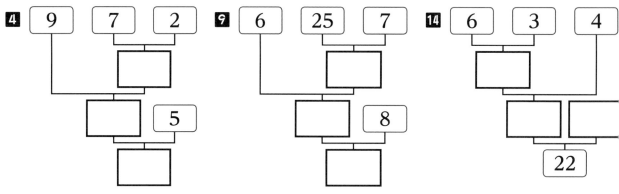
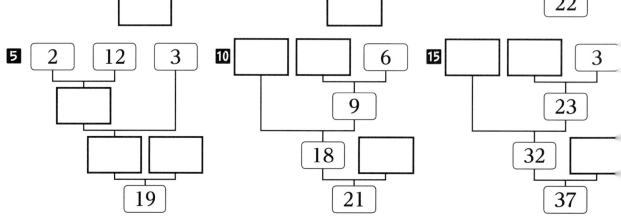

■ 長方形の面積

■1 の式のように、次の長方形の面積を求めましょう。

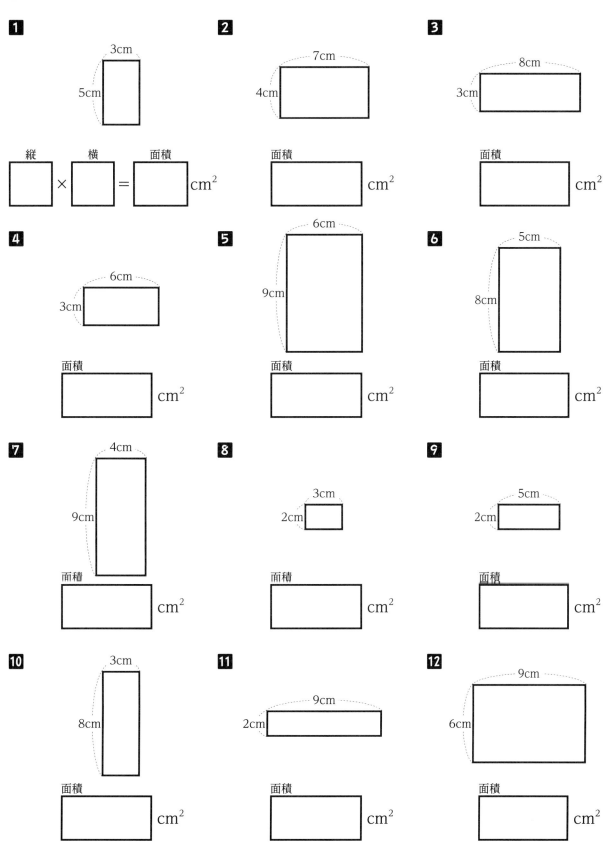

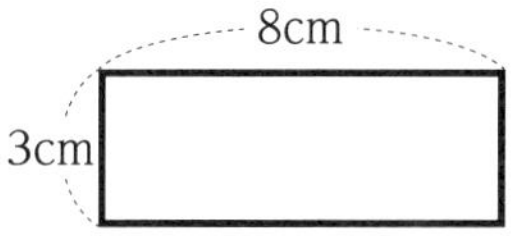

19日 穴あき筆算 /28

□にあてはまる数を書きましょう。

❶
```
   □2
+  3□
―――
   60
```

❷
```
   7□
-  □5
―――
   49
```

❸
```
   □1
+  1□
―――
   90
```

❹
```
   6□
-  □3
―――
   37
```

❺
```
   □0
-  6□
―――
   15
```

❻
```
   □7
+  5□
―――
   69
```

❼
```
   □3
-  2□
―――
   46
```

❽
```
   □1
+  8□
―――
  154
```

❾
```
   □7
-  3□
―――
   44
```

❿
```
   5□
+  □9
―――
  153
```

⓫
```
   7□
-  □1
―――
    4
```

⓬
```
   □0
+  1□
―――
   99
```

⓭
```
   8□
-  □6
―――
   64
```

⓮
```
   9□
+  □2
―――
  153
```

⓯
```
   3□
+  □4
―――
   80
```

⓰
```
   □6
-  3□
―――
   30
```

⓱
```
   □4
-  3□
―――
    6
```

⓲
```
   7□
+  □1
―――
  151
```

⓳
```
   5□
-  □7
―――
   41
```

⓴
```
   4□
-  □3
―――
   17
```

㉑
```
   2□
+  □7
―――
   79
```

㉒
```
   4□
-  □3
―――
    5
```

㉓
```
   1□
+  □1
―――
   21
```

㉔
```
   □0
+  6□
―――
  102
```

㉕
```
   □3
+  9□
―――
  138
```

㉖
```
   2□
+  □9
―――
  109
```

㉗
```
   6□
-  □9
―――
   22
```

㉘
```
   □7
-  4□
―――
   18
```

■ しりとり計算

得点 ／14

スタートから順に、計算した答えを□に書き込んで、ゴールまで進みましょう。

	スタート								ゴール
1	49	÷ 7 ⇒	□	+ 26 ⇒	□	− 6 ⇒	□	÷ 3 ⇒	□
2	10	− 4 ⇒	□	× 2 ⇒	□	÷ 3 ⇒	□	+ 9 ⇒	□
3	3	× 7 ⇒	□	− 6 ⇒	□	+ 9 ⇒	□	÷ 8 ⇒	□
4	29	+ 4 ⇒	□	− 8 ⇒	□	÷ 5 ⇒	□	× 7 ⇒	□
5	17	− 8 ⇒	□	× 3 ⇒	□	− 9 ⇒	□	+ 4 ⇒	□
6	4	+ 12 ⇒	□	÷ 2 ⇒	□	+ 4 ⇒	□	÷ 4 ⇒	□
7	6	+ 29 ⇒	□	− 8 ⇒	□	+ 9 ⇒	□	÷ 6 ⇒	□
8	11	− 9 ⇒	□	+ 23 ⇒	□	− 8 ⇒	□	+ 6 ⇒	□
9	2	× 6 ⇒	□	+ 3 ⇒	□	− 8 ⇒	□	× 5 ⇒	□
10	31	− 5 ⇒	□	+ 6 ⇒	□	÷ 4 ⇒	□	− 3 ⇒	□
11	7	+ 7 ⇒	□	÷ 2 ⇒	□	× 6 ⇒	□	− 8 ⇒	□
12	26	+ 6 ⇒	□	− 4 ⇒	□	÷ 7 ⇒	□	× 5 ⇒	□
13	28	+ 5 ⇒	□	− 9 ⇒	□	÷ 3 ⇒	□	× 6 ⇒	□
14	4	+ 8 ⇒	□	− 3 ⇒	□	× 2 ⇒	□	+ 6 ⇒	□

20日 ■ 1つの穴あき計算

□にあてはまる数を書きましょう。

1. $8 \div \square = 2$
2. $\square \times 9 = 81$
3. $\square - 2 = 2$
4. $3 \times \square = 18$
5. $\square \div 9 = 4$
6. $12 + \square = 17$
7. $28 \div \square = 7$
8. $\square + 3 = 12$
9. $\square - 7 = 8$
10. $\square \div 6 = 4$
11. $\square + 0 = 14$
12. $\square + 6 = 17$
13. $2 + \square = 8$
14. $\square - 3 = 8$
15. $\square - 4 = 11$
16. $\square \times 6 = 48$
17. $6 + \square = 13$
18. $9 + \square = 24$
19. $\square - 4 = 3$
20. $\square \div 9 = 3$
21. $10 - \square = 7$
22. $\square \div 4 = 5$
23. $\square \times 8 = 32$
24. $7 - \square = 2$
25. $\square \div 5 = 8$
26. $11 - \square = 4$
27. $\square \div 3 = 4$
28. $\square - 5 = 9$
29. $17 - \square = 11$
30. $42 \div \square = 7$
31. $15 - \square = 13$
32. $\square \times 9 = 72$
33. $13 + \square = 18$
34. $7 + \square = 11$
35. $64 \div \square = 8$
36. $7 \times \square = 42$
37. $\square - 4 = 5$
38. $13 + \square = 20$
39. $12 \div \square = 3$

■ 3つの穴あき計算

□にあてはまる数を書きましょう。解き方は 15 ページ。

1 4 × 8 = □ = 36 − □ = □ + 26
2 9 + 20 = □ = 37 − □ = □ + 1
3 42 ÷ 7 = □ = 11 − □ = □ ÷ 5
4 4 + 11 = □ = 3 × □ = □ − 9
5 5 × 6 = □ = 35 − □ = □ + 22
6 3 − 3 = □ = 10 × □ = □ − 5
7 18 − 2 = □ = 13 + □ = □ × 4
8 26 + 2 = □ = 37 − □ = □ × 7
9 15 − 2 = □ = 1 + □ = □ − 9
10 54 ÷ 9 = □ = 2 + □ = □ × 3
11 56 ÷ 8 = □ = 9 − □ = □ ÷ 3
12 9 × 3 = □ = 33 − □ = □ + 21
13 39 − 3 = □ = 6 × □ = □ × 9

14 7 − 5 = □ = 14 ÷ □ = □ − 8
15 5 × 5 = □ = 30 − □ = □ + 19
16 10 × 3 = □ = 39 − □ = □ × 5
17 29 − 5 = □ = 18 + □ = □ × 4
18 64 ÷ 8 = □ = 24 ÷ □ = □ × 4
19 30 − 5 = □ = 19 + □ = □ × 5
20 11 + 2 = □ = 18 − □ = □ + 9
21 14 − 4 = □ = 2 × □ = □ + 7
22 2 × 3 = □ = 18 ÷ □ = □ + 5
23 5 + 7 = □ = 2 × □ = □ − 7
24 3 × 8 = □ = 18 + □ = □ − 2
25 5 × 3 = □ = 17 − □ = □ + 8
26 72 ÷ 9 = □ = 2 × □ = □ − 9

21日 ツリー足し算

線でつながったマスの数どうしを足します。□にあてはまる答えを書きましょう。

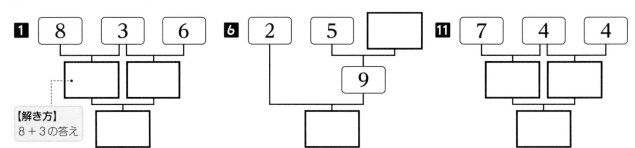
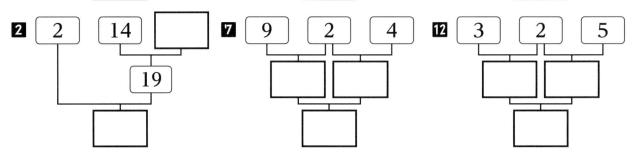
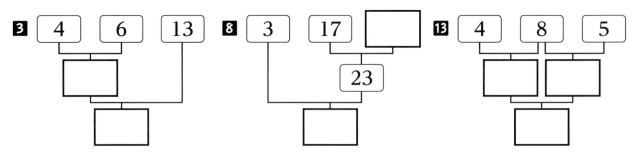
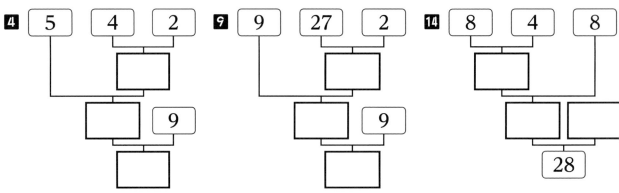
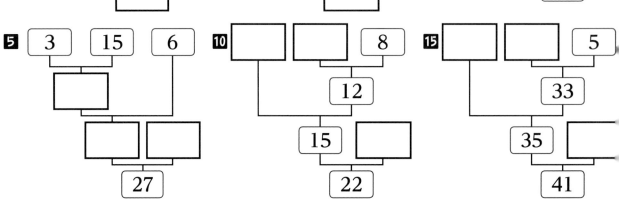

■ マス計算（足し算10〜30マス）

得点　／5

縦の段と横の段の足し算をしましょう。解き方は 13 ページ。

1

+	4	6	0	8	1	7	9	5	2	3
3										

【解き方】3＋4の答え

2

+	2	1	0	3	4	5	7	6	8	9
1										

3

+	12	19	17	13	16	11	15	18	14	10
9										
5										

4

+	5	27	19	22	4	20	13	26	11	8
2										
4										
7										

5

+	30	9	15	21	38	17	24	33	6	12
5										
8										
6										

22日 ■ 筆算

次の筆算をしましょう。

❶　　34　　❼　　32　　⓭　　42　　⓳　　50
　　＋16　　　　＋79　　　　＋50　　　　＋38

❷　　53　　❽　　64　　⓮　　72　　⓴　　87
　　－27　　　　－56　　　　－51　　　　－68

❸　　59　　❾　　32　　⓯　　44　　㉑　　14
　　×85　　　　×96　　　　×27　　　　×18

❹　　64　　❿　　66　　⓰　　36　　㉒　　54
　　＋50　　　　＋54　　　　＋82　　　　＋35

❺　　67　　⓫　　63　　⓱　　85　　㉓　　80
　　－18　　　　－27　　　　－13　　　　－72

❻　　79　　⓬　　27　　⓲　　66　　㉔　　90
　　×22　　　　×63　　　　×14　　　　×78

■ 三角形の面積

1の式のように、次の三角形の面積を求めましょう。

1

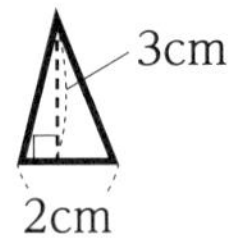

底辺 × 高さ ÷ 2 = 面積
□ × □ ÷ 2 = □ cm²

2
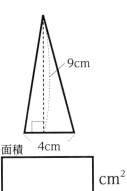

面積 □ cm²

3
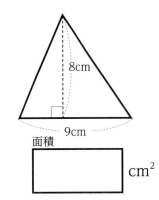

面積 □ cm²

4
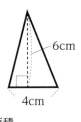

面積 □ cm²

5

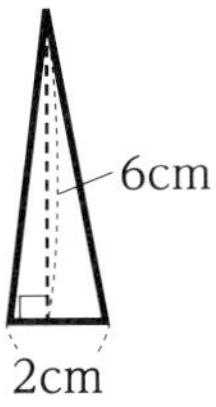

面積 □ cm²

6

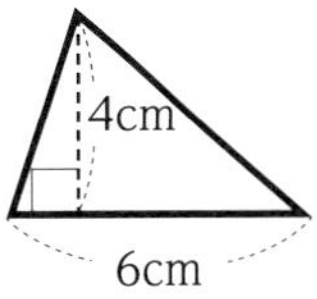

面積 □ cm²

7

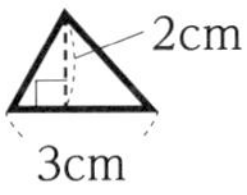

面積 □ cm²

8
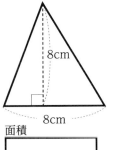

面積 □ cm²

9

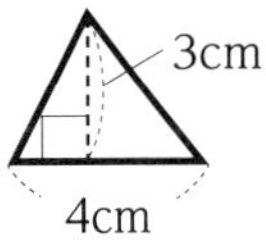

面積 □ cm²

10
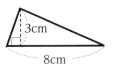

面積 □ cm²

11
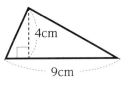

面積 □ cm²

12

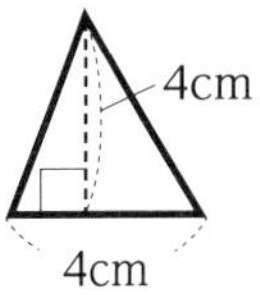

面積 □ cm²

23日 ■ マス足し算

上の段と下の段の足し算です。下の段に数字を入れましょう。

1 足して27になるように、下の段に数を書きましょう。（例：一番左は5+□=27）

5	6	18	22	26	2	13	21	7	3

2 足して24になるように、下の段に数を書きましょう。

21	4	23	2	15	13	24	16	9	7

3 足して11になるように、下の段に数を書きましょう。

5	10	2	6	0	7	3	1	9	8

4 足して38になるように、下の段に数を書きましょう。

1	35	29	12	3	31	5	21	8	33

5 足して23になるように、下の段に数を書きましょう。

16	8	7	4	1	12	14	19	6	2

6 足して16になるように、下の段に数を書きましょう。

3	5	9	16	15	13	14	12	8	10

7 足して35になるように、下の段に数を書きましょう。

2	9	30	28	4	12	22	5	26	32

■ 魔方陣 ※解き方は16ページ。

得点 /12

★ 縦・横・斜めに足した数の**合計が24**になるように、□にあてはまる数を書きましょう。

1
11	4	
6	8	

2
9		
		12
11		7

3
7		
	8	4
5		

4
9		11
		6
5		

5
	12	
6		
11		

6
		9
		4
7		

★ 縦・横・斜めに足した数の**合計が同じ**になるように、□にあてはまる数を書きましょう。

7
6	7	2
8		

8
	5	
	7	
4	9	

9
14		
19		
12		16

10
10		
9		
14	7	

11
10		6
	5	
12		

12
11		15
		10
		17

24日 ■ 2つの数と3つの数の計算

次の計算をしましょう。

1. $6 \times 7 =$
2. $32 - 9 + 4 =$
3. $9 \div 9 =$
4. $19 - 2 =$
5. $16 - 2 =$
6. $22 - 2 =$
7. $35 + 4 + 2 =$
8. $56 \div 7 =$
9. $6 + 2 =$
10. $9 \times 8 =$
11. $81 \div 9 =$
12. $6 + 19 =$
13. $25 - 9 =$
14. $0 \div 8 =$
15. $24 + 5 + 9 =$
16. $11 - 4 =$
17. $7 - 2 + 22 =$
18. $5 \times 8 =$
19. $5 + 10 =$
20. $19 + 8 - 3 =$
21. $11 - 8 =$
22. $16 \div 4 =$
23. $16 + 4 - 6 =$
24. $3 + 6 =$
25. $11 - 7 =$
26. $24 - 2 =$
27. $36 + 3 =$
28. $3 + 9 =$
29. $9 - 3 + 10 =$
30. $54 \div 6 =$
31. $5 - 3 + 31 =$
32. $14 - 6 =$
33. $4 \times 7 =$
34. $7 + 3 - 2 =$
35. $7 + 30 - 4 =$
36. $2 + 5 - 3 =$
37. $10 \div 5 =$
38. $34 + 4 =$
39. $2 + 5 + 1 =$

■ マス引き算

下の段に引き算した答えを書きましょう。

1 上の段から 5 を引く。(例:一番左は 30−5＝□)

30	36	16	15	6	27	23	10	20	7

2 上の段から 3 を引く。

3	12	38	14	6	32	7	37	8	20

3 上の段から 1 を引く。

36	21	16	1	37	9	23	27	14	38

4 上の段から 2 を引く。

29	15	30	3	36	12	9	2	32	10

5 上の段から 4 を引く。

36	14	20	25	7	32	27	29	8	16

6 上の段から 9 を引く。

29	37	20	21	24	17	23	15	19	34

7 上の段から 8 を引く。

9	8	33	25	13	26	11	35	27	38

25日 ■ 時間の計算

□にあてはまる数を書きましょう。

1. 5 日 = □ 時間
2. 1 分 34 秒 = □ 秒
3. 1 時間 = □ 分
4. 5 分 23 秒 = □ 秒
5. 2 時間 18 分 = □ 分
6. 2 分 20 秒 = □ 秒
7. 3 時間 11 分 = □ 分
8. 8 分 = □ 秒
9. 1 時間 24 分 = □ 分
10. 1 分 12 秒 = □ 秒
11. 3 時間 20 分 = □ 分
12. 1 日 13 時間 = □ 時間
13. 2 日 7 時間 = □ 時間

時間の足し算や引き算です。○時間○分と答えましょう。

14. 12 時間 21 分 + 17 時間 24 分 = □ 時間 □ 分
15. 13 時間 57 分 − 1 時間 24 分 = □ 時間 □ 分
16. 25 時間 42 分 − 10 時間 10 分 = □ 時間 □ 分
17. 8 時間 39 分 + 8 時間 51 分 = □ 時間 □ 分
18. 21 時間 48 分 − 6 時間 12 分 = □ 時間 □ 分
19. 15 時間 59 分 + 2 時間 1 分 = □ 時間 □ 分
20. 45 時間 58 分 − 43 時間 3 分 = □ 時間 □ 分
21. 25 時間 12 分 + 3 時間 29 分 = □ 時間 □ 分
22. 21 時間 42 分 + 11 時間 16 分 = □ 時間 □ 分
23. 13 時間 49 分 + 10 時間 13 分 = □ 時間 □ 分
24. 42 時間 22 分 − 20 時間 19 分 = □ 時間 □ 分
25. 35 時間 3 分 − 29 時間 23 分 = □ 時間 □ 分
26. 10 時間 2 分 + 3 時間 54 分 = □ 時間 □ 分

■ 魔方陣 ※解き方は16ページ。

得点 /12

★ 縦・横・斜めに足した数の**合計が21**になるように、□にあてはまる数を書きましょう。

1
10		
5		9
	11	

2
		4
3		11
	5	

3
	5	10
11		3

4
8		10
9		
		6

5
	7	
	3	8

6
4		
	7	3

★ 縦・横・斜めに足した数の**合計が同じ**になるように、□にあてはまる数を書きましょう。

7
	12	5
	8	
11		

8
8		
3		7
4		

9
14	9	
15		
10		

10
	12	
11	16	9

11
9	14	
	10	
		11

12
13	18	17
20		

26日 ■ 1つの穴あき計算

□にあてはまる数を書きましょう。

1. □ − 4 = 2
2. □ × 5 = 25
3. □ − 8 = 4
4. 72 ÷ □ = 9
5. 8 + □ = 10
6. 3 × □ = 15
7. 32 ÷ □ = 4
8. 12 − □ = 7
9. □ + 9 = 11
10. 20 ÷ □ = 4
11. □ + 12 = 13
12. □ + 10 = 16
13. □ − 6 = 10

14. □ × 4 = 32
15. □ − 6 = 3
16. 11 + □ = 20
17. □ × 5 = 35
18. □ ÷ 3 = 9
19. 4 + □ = 5
20. 17 − □ = 12
21. 36 ÷ □ = 9
22. 5 + □ = 10
23. 20 + □ = 23
24. 4 × □ = 20
25. □ − 6 = 4
26. 10 + □ = 11

27. 18 ÷ □ = 6
28. 9 − □ = 5
29. □ − 2 = 17
30. 16 ÷ □ = 8
31. 15 + □ = 18
32. □ − 2 = 19
33. 8 ÷ □ = 1
34. 21 − □ = 16
35. 6 × □ = 36
36. □ + 9 = 13
37. 15 − □ = 9
38. □ ÷ 5 = 3
39. 12 + □ = 16

■ 3つの穴あき計算

得点 ／26

□にあてはまる数を書きましょう。解き方は 15 ページ。

1. 24 ÷ 3 = □ = 8 × □ = □ + 2
2. 6 − 3 = □ = 5 − □ = □ ÷ 7
3. 13 + 2 = □ = 23 − □ = □ × 5
4. 10 + 7 = □ = 1 + □ = □ − 3
5. 7 × 5 = □ = 38 − □ = □ + 31
6. 6 ÷ 2 = □ = 18 ÷ □ = □ − 6
7. 33 − 3 = □ = 5 × □ = □ + 25
8. 29 − 6 = □ = 19 + □ = □ + 7
9. 7 + 38 = □ = 9 × □ = □ + 39
10. 16 − 6 = □ = 5 × □ = □ + 3
11. 22 + 7 = □ = 34 − □ = □ + 2
12. 22 − 8 = □ = 2 × □ = □ − 5
13. 3 + 8 = □ = 18 − □ = □ + 5
14. 15 ÷ 5 = □ = 7 − □ = □ ÷ 2
15. 3 × 9 = □ = 34 − □ = □ + 4
16. 2 + 2 = □ = 12 ÷ □ = □ − 7
17. 3 × 4 = □ = 21 − □ = □ × 6
18. 12 − 6 = □ = 2 × □ = □ + 4
19. 12 + 9 = □ = 30 − □ = □ × 3
20. 16 ÷ 2 = □ = 4 × □ = □ − 5
21. 20 − 5 = □ = 6 + □ = □ × 3
22. 3 × 3 = □ = 11 − □ = □ + 2
23. 31 − 7 = □ = 3 × □ = □ + 9
24. 29 + 3 = □ = 36 − □ = □ × 8
25. 8 − 2 = □ = 6 × □ = □ + 1
26. 14 + 4 = □ = 21 − □ = □ × 9

27日 ■ しりとり計算

月　日　得点　／14

スタートから順に、計算した答えを□に書き込んで、ゴールまで進みましょう。

	スタート								ゴール
1	8	× 2 ⇒	□	+ 6 ⇒	□	− 1 ⇒	□	÷ 7 ⇒	□
2	27	− 9 ⇒	□	+ 9 ⇒	□	÷ 3 ⇒	□	+ 5 ⇒	□
3	4	+ 5 ⇒	□	÷ 3 ⇒	□	+ 16 ⇒	□	− 7 ⇒	□
4	13	− 5 ⇒	□	+ 17 ⇒	□	÷ 5 ⇒	□	+ 3 ⇒	□
5	2	+ 34 ⇒	□	÷ 6 ⇒	□	× 2 ⇒	□	+ 7 ⇒	□
6	18	÷ 6 ⇒	□	+ 13 ⇒	□	− 7 ⇒	□	× 2 ⇒	□
7	25	− 5 ⇒	□	÷ 5 ⇒	□	× 8 ⇒	□	+ 6 ⇒	□
8	10	+ 7 ⇒	□	− 5 ⇒	□	+ 2 ⇒	□	÷ 2 ⇒	□
9	9	− 1 ⇒	□	× 4 ⇒	□	− 4 ⇒	□	÷ 4 ⇒	□
10	15	+ 3 ⇒	□	÷ 2 ⇒	□	− 3 ⇒	□	× 7 ⇒	□
11	13	− 5 ⇒	□	× 3 ⇒	□	− 6 ⇒	□	÷ 2 ⇒	□
12	39	− 9 ⇒	□	÷ 6 ⇒	□	× 8 ⇒	□	− 5 ⇒	□
13	12	− 4 ⇒	□	× 2 ⇒	□	+ 5 ⇒	□	÷ 3 ⇒	□
14	14	− 8 ⇒	□	+ 3 ⇒	□	÷ 1 ⇒	□	× 5 ⇒	□

■ ツリー足し算

得点　／15

線でつながったマスの数どうしを足します。□にあてはまる答えを書きましょう。

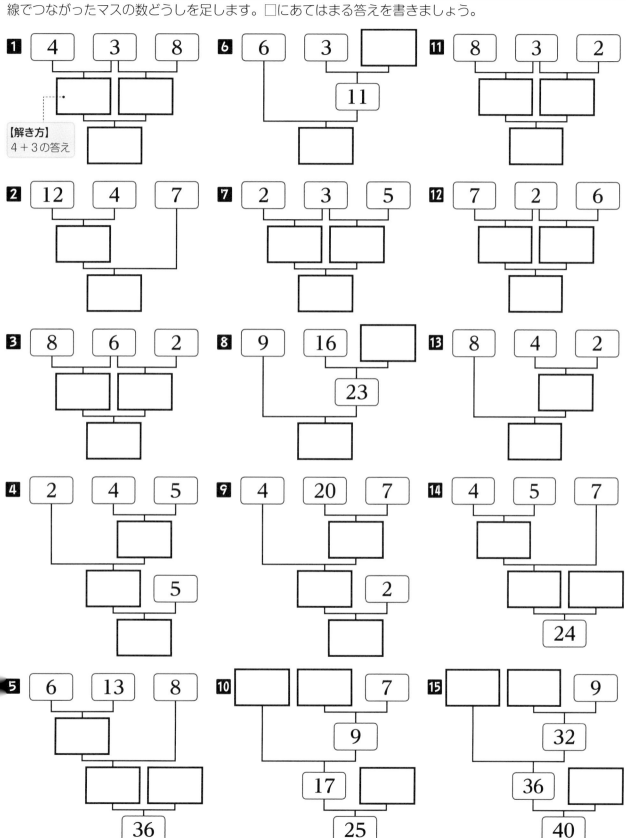

28日 ■ 2つの数と3つの数の計算

次の計算をしましょう。

1. $8 - 7 + 36 =$
2. $8 \div 2 =$
3. $37 + 8 - 4 =$
4. $9 - 6 + 22 =$
5. $2 + 5 =$
6. $36 - 5 =$
7. $19 - 3 =$
8. $7 + 2 =$
9. $5 \times 2 =$
10. $21 \div 7 =$
11. $31 - 4 =$
12. $3 + 20 - 2 =$
13. $25 - 2 =$
14. $35 + 5 - 6 =$
15. $7 \times 2 =$
16. $30 - 8 + 7 =$
17. $34 - 6 =$
18. $14 - 7 + 9 =$
19. $2 + 19 =$
20. $28 + 8 =$
21. $5 \times 4 =$
22. $35 \div 5 =$
23. $22 + 7 =$
24. $12 \div 6 =$
25. $12 - 2 =$
26. $11 + 5 + 4 =$
27. $35 - 6 - 9 =$
28. $72 \div 9 =$
29. $20 - 3 =$
30. $17 + 3 - 8 =$
31. $21 + 2 =$
32. $3 \times 5 =$
33. $3 + 12 + 9 =$
34. $7 + 27 =$
35. $8 + 4 + 7 =$
36. $3 + 2 =$
37. $9 \times 5 =$
38. $28 + 3 - 6 =$
39. $8 - 2 =$

■ マス計算（足し算10〜30マス）

縦の段と横の段の足し算をしましょう。解き方は13ページ。

1

+	5	8	0	3	6	2	9	7	4	1
2										

【解き方】2＋5の答え

2

+	9	0	4	2	5	8	7	3	6	1
8										

3

+	14	17	15	12	19	16	18	11	13	10
9										
1										

4

+	21	16	5	23	10	4	19	27	2	28
5										
7										
3										

5

+	11	36	25	8	39	20	13	7	14	32
4										
6										
5										

29日 ■ 時間の計算

時間の足し算や引き算です。○時間○分と答えましょう。

1. 42時間27分 − 7時間4分 = ☐時間☐分
2. 21時間44分 + 12時間9分 = ☐時間☐分
3. 14時間14分 − 12時間24分 = ☐時間☐分
4. 46時間35分 − 20時間16分 = ☐時間☐分
5. 33時間16分 + 5時間9分 = ☐時間☐分
6. 19時間46分 − 2時間47分 = ☐時間☐分
7. 28時間48分 − 15時間20分 = ☐時間☐分
8. 18時間34分 + 13時間40分 = ☐時間☐分
9. 35時間45分 − 23時間27分 = ☐時間☐分
10. 17時間21分 + 24時間30分 = ☐時間☐分
11. 32時間52分 + 11時間41分 = ☐時間☐分
12. 6時間48分 − 1時間45分 = ☐時間☐分
13. 24時間48分 − 3時間48分 = ☐時間☐分
14. 1時間58分 + 11時間45分 = ☐時間☐分
15. 44時間57分 − 22時間51分 = ☐時間☐分
16. 26時間57分 + 9時間30分 = ☐時間☐分
17. 47時間26分 − 18時間3分 = ☐時間☐分
18. 18時間16分 + 2時間38分 = ☐時間☐分
19. 4時間37分 + 13時間14分 = ☐時間☐分
20. 3時間8分 + 43時間14分 = ☐時間☐分
21. 8時間38分 + 20時間21分 = ☐時間☐分
22. 1時間1分 + 23時間44分 = ☐時間☐分
23. 48時間13分 − 47時間13分 = ☐時間☐分
24. 35時間2分 − 27時間25分 = ☐時間☐分
25. 3時間4分 + 46時間16分 = ☐時間☐分
26. 31時間15分 − 23時間29分 = ☐時間☐分

■ 筆 算

得点 /24

次の筆算をしましょう。

1　17 + 70

2　67 − 17

3　20 × 35

4　20 + 33

5　47 + 42

6　77 × 67

7　41 + 59

8　93 − 26

9　64 × 72

10　98 + 48

11　92 − 84

12　43 × 28

13　86 + 13

14　81 − 48

15　87 × 38

16　53 + 73

17　36 − 16

18　96 × 45

19　20 + 70

20　97 − 19

21　38 × 14

22　93 + 99

23　77 − 65

24　95 × 32

30日

■ 面積クイズ

月　日　得点　／12

方眼の1マスは$1cm^2$です。次の図形の面積を求めましょう。

1 ［　　］cm^2　2 ［　　］cm^2　3 ［　　］cm^2　4 ［　　］cm^2

5 ［　　］cm^2　6 ［　　］cm^2　7 ［　　］cm^2　8 ［　　］cm^2

9 ［　　］cm^2　10 ［　　］cm^2　11 ［　　］cm^2　12 ［　　］cm^2

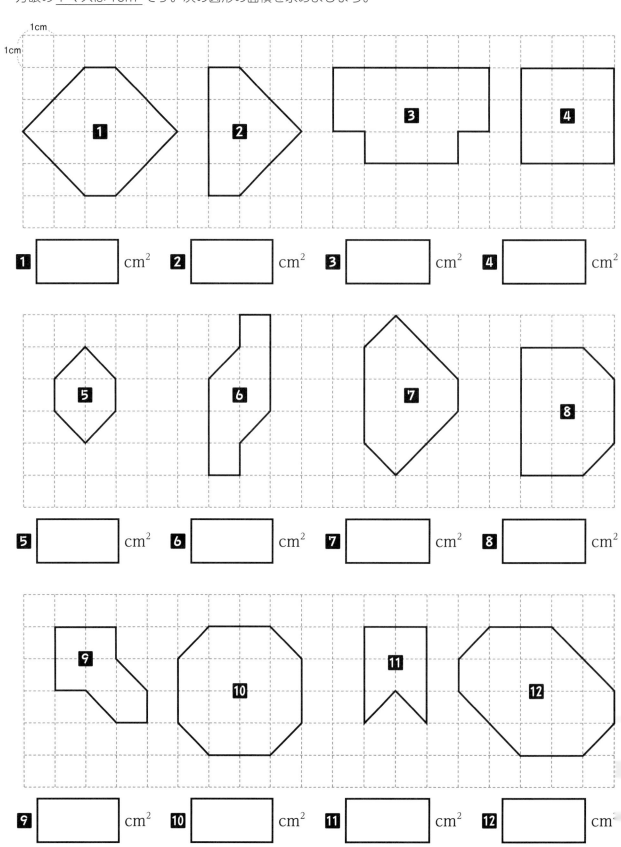

■ 2つの数と3つの数の計算

次の計算をしましょう。

1. $6 + 6 =$
2. $22 + 3 =$
3. $42 ÷ 7 =$
4. $6 + 31 - 2 =$
5. $19 - 5 =$
6. $5 × 3 =$
7. $27 + 3 =$
8. $18 + 6 =$
9. $54 ÷ 9 =$
10. $2 × 4 =$
11. $6 + 4 + 36 =$
12. $19 - 4 =$
13. $36 - 9 - 5 =$
14. $56 ÷ 8 =$
15. $33 + 3 =$
16. $38 - 9 - 7 =$
17. $17 - 2 =$
18. $9 - 8 + 36 =$
19. $7 + 5 =$
20. $64 ÷ 8 =$
21. $6 + 8 =$
22. $0 ÷ 7 =$
23. $8 × 5 =$
24. $20 + 4 - 2 =$
25. $14 + 9 =$
26. $8 + 26 + 4 =$
27. $6 - 2 + 4 =$
28. $27 - 4 - 2 =$
29. $8 + 12 =$
30. $32 - 7 =$
31. $7 ÷ 7 =$
32. $17 + 2 =$
33. $22 - 3 =$
34. $11 - 2 + 3 =$
35. $14 + 4 =$
36. $4 + 3 - 2 =$
37. $8 + 2 =$
38. $28 - 4 =$
39. $6 × 3 =$

31日 ■ 平行四辺形の面積

1の式のように、次の平行四辺形の面積を求めましょう。

1
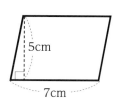
底辺 × 高さ = 面積
□ × □ = □ cm²

2
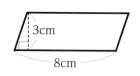
面積 □ cm²

3
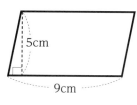
面積 □ cm²

4
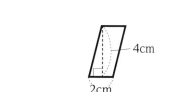
面積 □ cm²

5
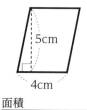
面積 □ cm²

6
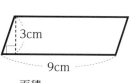
面積 □ cm²

7
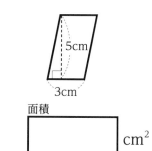
面積 □ cm²

8
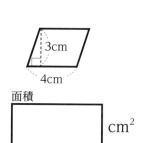
面積 □ cm²

9
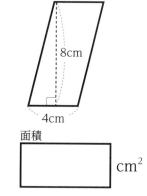
面積 □ cm²

10
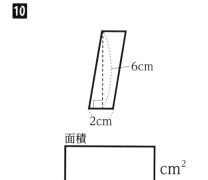
面積 □ cm²

11
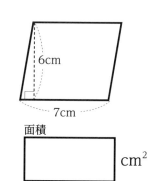
面積 □ cm²

12
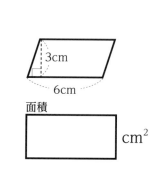
面積 □ cm²

■ 3つの穴あき計算

得点 ／26

□にあてはまる数を書きましょう。解き方は 15 ページ。

1. $12 \div 3 = \square = 9 - \square = \square \div 9$
2. $40 \div 5 = \square = 32 \div \square = \square \times 2$
3. $7 \times 3 = \square = 28 - \square = \square + 3$
4. $19 + 3 = \square = 29 - \square = \square + 14$
5. $48 \div 8 = \square = 10 - \square = \square \div 6$
6. $26 - 7 = \square = 8 + \square = \square - 4$
7. $12 + 3 = \square = 5 \times \square = \square - 6$
8. $28 - 6 = \square = 19 + \square = \square - 2$
9. $12 - 8 = \square = 28 \div \square = \square - 3$
10. $9 \times 2 = \square = 26 - \square = \square + 5$
11. $22 - 6 = \square = 2 \times \square = \square \times 4$
12. $63 \div 9 = \square = 14 \div \square = \square - 8$
13. $5 \div 5 = \square = 9 - \square = \square \div 3$
14. $14 + 6 = \square = 27 - \square = \square + 11$
15. $9 + 10 = \square = 24 - \square = \square + 6$
16. $6 + 29 = \square = 39 - \square = \square \times 7$
17. $4 + 25 = \square = 35 - \square = \square + 5$
18. $28 - 9 = \square = 9 + \square = \square - 4$
19. $4 \times 4 = \square = 21 - \square = \square \times 8$
20. $22 - 2 = \square = 5 \times \square = \square + 17$
21. $10 \div 2 = \square = 13 - \square = \square \div 6$
22. $7 + 3 = \square = 2 \times \square = \square - 6$
23. $27 - 3 = \square = 15 + \square = \square \times 4$
24. $3 \times 6 = \square = 14 + \square = \square - 2$
25. $17 - 8 = \square = 3 \times \square = \square + 5$
26. $4 \times 3 = \square = 5 + \square = \square - 6$

32日 ■ ツリー足し算

月　日　得点　/15

線でつながったマスの数どうしを足します。□にあてはまる答えを書きましょう。

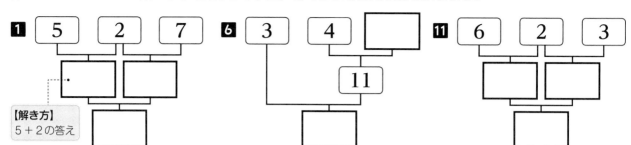
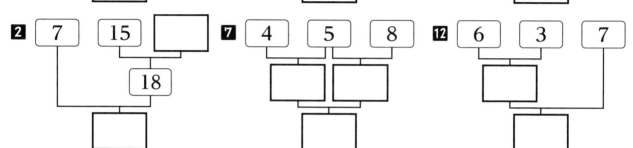
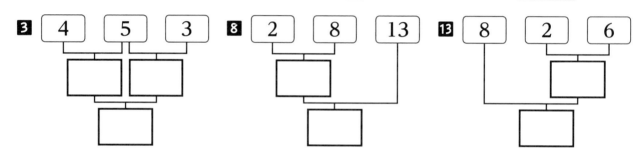
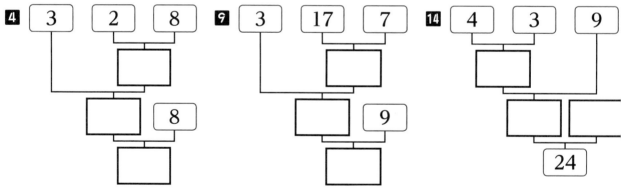
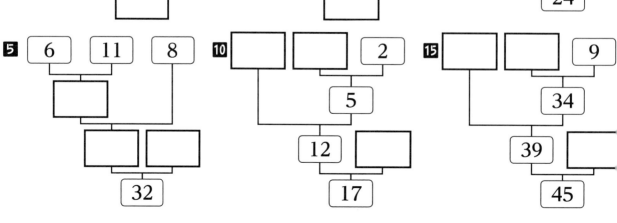

■ 立体の体積

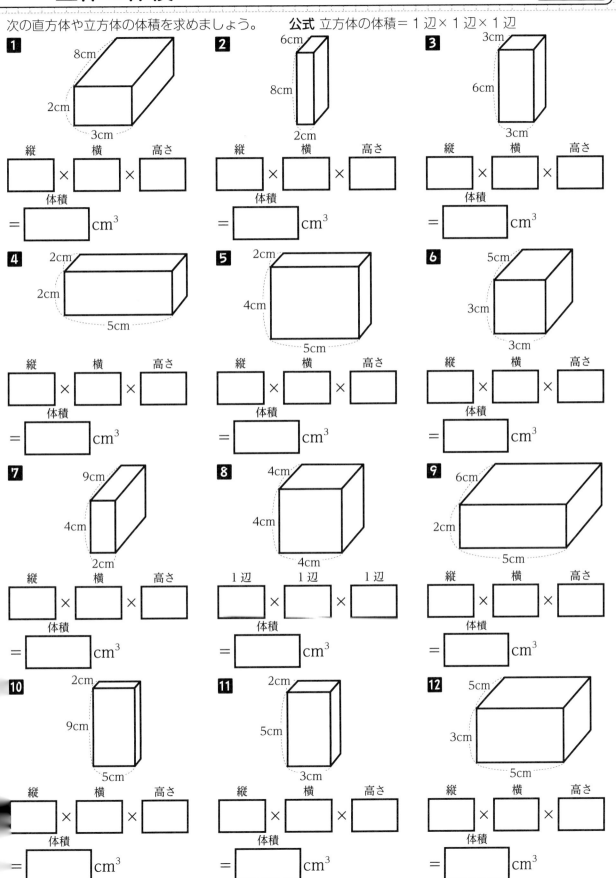

33日 2つの数と3つの数の計算

次の計算をしましょう。

1. $19 - 9 =$
2. $31 + 8 + 5 =$
3. $16 \div 2 =$
4. $4 - 2 =$
5. $31 - 7 =$
6. $12 - 5 + 6 =$
7. $9 \times 2 =$
8. $20 - 5 =$
9. $30 - 8 =$
10. $27 + 6 =$
11. $45 \div 5 =$
12. $21 + 8 - 2 =$
13. $7 + 37 =$
14. $5 + 24 + 2 =$
15. $8 + 19 - 4 =$
16. $9 \times 4 =$
17. $29 - 9 + 5 =$
18. $5 + 7 =$
19. $2 \times 3 =$
20. $4 + 7 - 6 =$
21. $28 + 3 + 2 =$
22. $26 - 3 =$
23. $8 \div 1 =$
24. $3 + 5 =$
25. $24 - 4 - 9 =$
26. $6 + 36 =$
27. $9 \times 9 =$
28. $1 + 9 =$
29. $39 - 5 =$
30. $26 - 2 =$
31. $5 \times 7 =$
32. $32 \div 8 =$
33. $14 - 4 + 3 =$
34. $9 - 5 + 35 =$
35. $45 \div 9 =$
36. $32 + 8 =$
37. $11 + 8 =$
38. $25 \div 5 =$
39. $23 - 4 - 2 =$

穴あき筆算

□にあてはまる数を書きましょう。

1 □3 − 5□ = 28	**8** □3 + 6□ = 127	**15** □2 + 6□ = 108	**22** 5□ − □1 = 19
2 9□ − □2 = 4	**9** 9□ − □6 = 64	**16** □6 − 3□ = 20	**23** □6 − 3□ = 36
3 □9 − 5□ = 39	**10** 2□ + □4 = 66	**17** □9 + 4□ = 59	**24** □7 + 6□ = 102
4 1□ + □0 = 50	**11** 7□ + □4 = 123	**18** 1□ − □0 = 4	**25** □8 + 1□ = 87
5 □5 − 2□ = 47	**12** 2□ + □3 = 58	**19** 4□ + □1 = 53	**26** 6□ − □2 = 54
6 □4 − 4□ = 18	**13** 7□ + □6 = 156	**20** 6□ − □4 = 6	**27** □3 − 1□ = 74
7 □9 + 4□ = 105	**14** □6 − 2□ = 24	**21** 1□ + □2 = 27	**28** 4□ + □7 = 104

34日 ■ 魔方陣 ※解き方は16ページ。

月　日　得点　／12

★ 縦・横・斜めに足した数の合計が 24 になるように、□にあてはまる数を書きましょう。

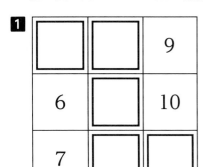

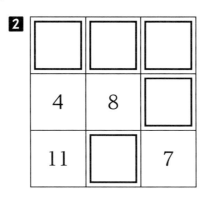

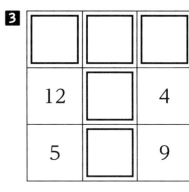

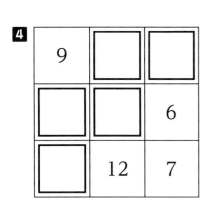

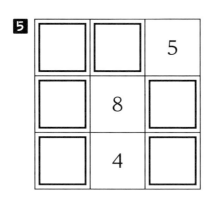

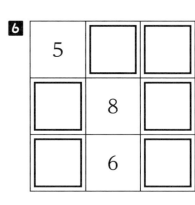

1

□	□	9
6	□	10
7	□	□

2

□	□	□
4	8	□
11	□	7

3

□	□	□
12	□	4
5	□	9

4

9	□	□
□	□	6
□	12	7

5

□	□	5
□	8	□
□	4	□

6

5	□	□
□	8	□
□	6	□

★ 縦・横・斜めに足した数の合計が同じになるように、□にあてはまる数を書きましょう。

7

14	15	10
□	□	17
□	□	□

8

□	□	7
6	10	□
13	□	□

9

□	1	□
□	5	□
□	9	4

10

□	□	7
□	6	□
5	□	9

11

□	□	18
□	15	13
□	□	14

12

□	□	4
□	□	11
10	□	6

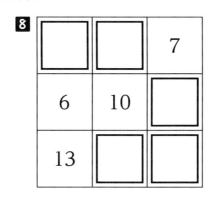

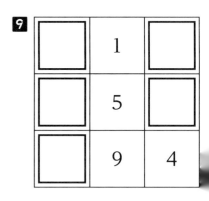

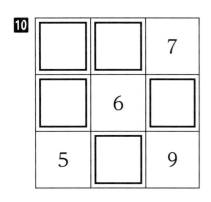

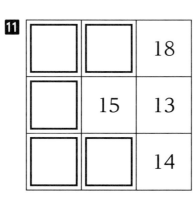

■ 3つの穴あき計算

□にあてはまる数を書きましょう。解き方は15ページ。

1 48÷6 =□ =15−□ =□ + 4　　**14** 16−4 =□ = 4 ×□ =□ + 3

2 35−6 =□ =26+□ =□ +21　　**15** 31−3 =□ = 7 ×□ =□ + 9

3 27−2 =□ = 5 ×□ =□ + 9　　**16** 5 + 8 =□ =21−□ =□ + 4

4 12+5 =□ =13+□ =□ − 5　　**17** 5 +25 =□ =32−□ =□ × 6

5 5 × 4 =□ =11+□ =□ − 6　　**18** 3 × 6 =□ =25−□ =□ +16

6 8 +27 =□ = 5 ×□ =□ +30　　**19** 5 × 3 =□ = 8 +□ =□ − 2

7 24÷8 =□ =12−□ =□ ÷ 2　　**20** 24÷6 =□ = 4 ÷□ =□ − 2

8 27+7 =□ =38−□ =□ +31　　**21** 21−7 =□ = 2 ×□ =□ + 5

9 15+9 =□ = 4 ×□ =□ − 6　　**22** 6 × 4 =□ =25−□ =□ +16

10 3 × 4 =□ =14−□ =□ × 6　　**23** 13−5 =□ =64÷□ =□ + 3

11 24−6 =□ = 6 ×□ =□ − 1　　**24** 34−4 =□ = 5 ×□ =□ + 8

12 14÷7 =□ = 4 −□ =□ ÷ 6　　**25** 4 +11 =□ = 5 ×□ =□ − 7

13 42÷6 =□ =16−□ =□ + 5　　**26** 3 × 3 =□ =72÷□ =□ − 5

35日 ■ マス足し算

上の段と下の段の足し算です。下の段に数字を入れましょう。

1 足して 19 になるように、下の段に数を書きましょう。（例：一番左は 11＋□＝19）

11	15	2	9	4	1	7	16	0	3

2 足して 32 になるように、下の段に数を書きましょう。

8	15	2	29	19	31	4	26	21	3

3 足して 22 になるように、下の段に数を書きましょう。

8	9	19	5	18	0	6	14	10	7

4 足して 37 になるように、下の段に数を書きましょう。

32	31	8	1	16	3	33	5	7	23

5 足して 14 になるように、下の段に数を書きましょう。

11	5	2	1	4	14	6	8	7	3

6 足して 35 になるように、下の段に数を書きましょう。

7	18	33	8	29	15	34	21	27	6

7 足して 27 になるように、下の段に数を書きましょう。

19	25	24	12	8	4	23	9	16	1

■ 時間の筆算

時間の足し算や引き算です。○時間○分と答えましょう。

1 　8 時間 52 分
　＋ 3 時間 27 分

時間　　　分

2 　11 時間 29 分
　＋ 6 時間 11 分

時間　　　分

3 　27 時間 14 分
　－ 1 時間 33 分

時間　　　分

4 　15 時間 51 分
　＋ 26 時間 11 分

時間　　　分

5 　23 時間 12 分
　＋ 2 時間 53 分

時間　　　分

6 　40 時間 33 分
　－ 12 時間 24 分

時間　　　分

7 　13 時間 18 分
　－ 5 時間 38 分

時間　　　分

8 　17 時間 28 分
　＋ 12 時間 11 分

時間　　　分

9 　8 時間 23 分
　－ 3 時間 39 分

時間　　　分

10 　17 時間 33 分
　－ 3 時間 6 分

時間　　　分

11 　7 時間 43 分
　＋ 23 時間 27 分

時間　　　分

12 　4 時間 50 分
　＋ 16 時間 4 分

時間　　　分

13 　12 時間 6 分
　－ 8 時間 15 分

時間　　　分

14 　16 時間 6 分
　＋ 19 時間 5 分

時間　　　分

15 　31 時間 49 分
　－ 13 時間 12 分

時間　　　分

16 　2 時間 8 分
　＋ 39 時間 17 分

時間　　　分

17 　36 時間 38 分
　＋ 6 時間 46 分

時間　　　分

18 　36 時間 28 分
　－ 10 時間 42 分

時間　　　分

19 　23 時間 24 分
　－ 16 時間 8 分

時間　　　分

20 　18 時間 43 分
　－ 8 時間 59 分

時間　　　分

21 　48 時間 43 分
　－ 8 時間 59 分

時間　　　分

36日

■ 三角形の面積

月　日　得点　／12

1 の式のように、次の三角形の面積を求めましょう。

1

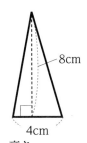

底辺 □ × 高さ □ ÷ 2 = 面積 □ cm^2

2

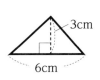

面積 □ cm^2

3

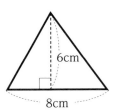

面積 □ cm^2

4

面積 □ cm^2

5

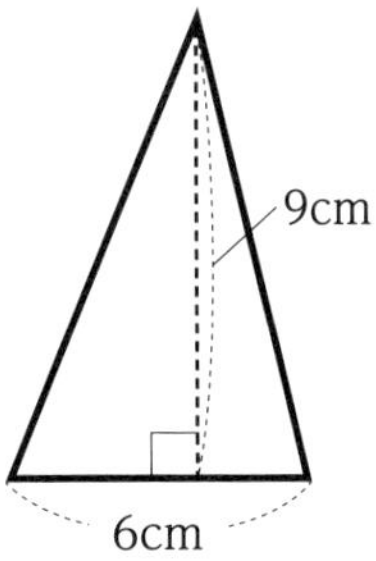

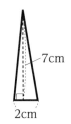

面積 □ cm^2

6

面積 □ cm^2

7

面積 □ cm^2

8

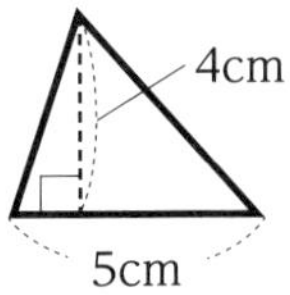

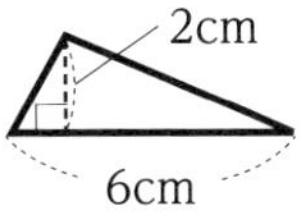

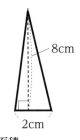

面積 □ cm^2

9

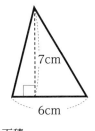

面積 □ cm^2

10

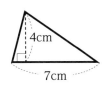

面積 □ cm^2

11

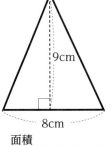

面積 □ cm^2

12

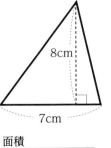

面積 □ cm^2

■ 穴あき筆算

得点 /28

□にあてはまる数を書きましょう。

1
```
   3 □
 - □ 5
 ─────
   1 8
```

2
```
   7 □
 - □ 3
 ─────
   1 3
```

3
```
   5 □
 - □ 4
 ─────
     4
```

4
```
   □ 8
 - 2 □
 ─────
   5 8
```

5
```
   □ 5
 - 3 □
 ─────
   2 7
```

6
```
   □ 0
 + 6 □
 ─────
 1 3 2
```

7
```
   □ 7
 + 5 □
 ─────
 1 5 1
```

8
```
   □ 0
 + 3 □
 ─────
   9 3
```

9
```
   5 □
 - □ 6
 ─────
     2
```

10
```
   □ 2
 - 2 □
 ─────
   3 4
```

11
```
   8 □
 + □ 7
 ─────
 1 2 4
```

12
```
   1 □
 + □ 9
 ─────
   5 8
```

13
```
   9 □
 + □ 5
 ─────
 1 7 9
```

14
```
   □ 1
 - 6 □
 ─────
   1 3
```

15
```
   7 □
 + □ 8
 ─────
   9 1
```

16
```
   □ 5
 + 3 □
 ─────
   6 0
```

17
```
   □ 4
 - 2 □
 ─────
   3 2
```

18
```
   □ 4
 + 4 □
 ─────
   8 4
```

19
```
   4 □
 + □ 3
 ─────
   7 7
```

20
```
   3 □
 - □ 3
 ─────
     5
```

21
```
   □ 7
 - 1 □
 ─────
   1 2
```

22
```
   □ 4
 - 4 □
 ─────
   2 3
```

23
```
   7 □
 + □ 7
 ─────
 1 4 1
```

24
```
   5 □
 - □ 9
 ─────
   3 1
```

25
```
   9 □
 - □ 7
 ─────
   5 4
```

26
```
   7 □
 + □ 5
 ─────
 1 3 4
```

27
```
   6 □
 + □ 2
 ─────
 1 4 7
```

28
```
   □ 9
 + 4 □
 ─────
   8 1
```

37日 ■ しりとり計算

月　日　得点　／14

スタートから順に、計算した答えを□に書き込んで、ゴールまで進みましょう。

	スタート								ゴール
1	3	+ 16 ⇒	□	− 6 ⇒	□	+ 8 ⇒	□	÷ 3 ⇒	□
2	12	+ 8 ⇒	□	− 9 ⇒	□	− 9 ⇒	□	× 5 ⇒	□
3	28	− 7 ⇒	□	÷ 7 ⇒	□	× 8 ⇒	□	+ 6 ⇒	□
4	45	÷ 9 ⇒	□	× 7 ⇒	□	− 4 ⇒	□	+ 3 ⇒	□
5	21	− 6 ⇒	□	÷ 5 ⇒	□	+ 22 ⇒	□	− 6 ⇒	□
6	5	+ 3 ⇒	□	+ 28 ⇒	□	÷ 4 ⇒	□	+ 5 ⇒	□
7	37	− 7 ⇒	□	÷ 6 ⇒	□	+ 27 ⇒	□	÷ 8 ⇒	□
8	37	− 8 ⇒	□	+ 6 ⇒	□	÷ 5 ⇒	□	× 2 ⇒	□
9	14	+ 1 ⇒	□	÷ 3 ⇒	□	+ 17 ⇒	□	+ 7 ⇒	□
10	12	÷ 3 ⇒	□	+ 5 ⇒	□	+ 6 ⇒	□	÷ 5 ⇒	□
11	23	+ 6 ⇒	□	− 4 ⇒	□	÷ 5 ⇒	□	× 6 ⇒	□
12	7	+ 13 ⇒	□	− 6 ⇒	□	÷ 7 ⇒	□	× 8 ⇒	□
13	2	+ 2 ⇒	□	− 1 ⇒	□	× 8 ⇒	□	+ 9 ⇒	□
14	9	+ 36 ⇒	□	÷ 5 ⇒	□	× 2 ⇒	□	+ 6 ⇒	□

3つの穴あき計算

□にあてはまる数を書きましょう。解き方は 15 ページ。

1 16 − 6 = □ = 8 + □ = □ × 5   **14** 19 − 8 = □ = 3 + □ = □ − 9

2 6 × 5 = □ = 37 − □ = □ + 8   **15** 4 × 5 = □ = 23 − □ = □ + 19

3 38 − 3 = □ = 5 × □ = □ + 8   **16** 12 + 3 = □ = 3 × □ = □ − 2

4 9 − 8 = □ = 8 ÷ □ = □ − 4   **17** 25 + 2 = □ = 34 − □ = □ × 3

5 3 × 7 = □ = 29 − □ = □ + 6   **18** 33 − 3 = □ = 5 × □ = □ + 6

6 9 − 5 = □ = 2 × □ = □ ÷ 8   **19** 28 ÷ 4 = □ = 10 − □ = □ ÷ 6

7 5 − 2 = □ = 27 ÷ □ = □ × 3   **20** 9 + 8 = □ = 20 − □ = □ + 6

8 15 + 3 = □ = 20 − □ = □ × 3   **21** 14 − 6 = □ = 2 × □ = □ − 5

9 6 ÷ 3 = □ = 9 − □ = □ ÷ 7   **22** 2 × 6 = □ = 18 − □ = □ + 9

10 14 + 7 = □ = 30 − □ = □ × 3   **23** 8 + 8 = □ = 12 + □ = □ × 4

11 4 × 6 = □ = 15 + □ = □ − 4   **24** 5 × 2 = □ = 23 − □ = □ + 2

12 36 ÷ 6 = □ = 14 − □ = □ ÷ 9   **25** 21 − 12 = □ = 3 + □ = □ × 3

13 2 × 2 = □ = 16 ÷ □ = □ − 8   **26** 10 + 8 = □ = 9 × □ = □ − 4

38日 ■マス計算（足し算10〜30マス）

縦の段と横の段の足し算をしましょう。解き方は13ページ。

1

+	18	5	10	26	36	1	27	6	13	30
3										

【解き方】3＋18の答え

2

+	21	35	17	29	11	8	3	4	31	15
2										

3

+	7	14	16	0	23	24	34	9	38	19
1										
8										

4

+	14	0	32	12	2	25	28	15	5	33
4										
6										
5										

5

+	9	37	16	2	22	39	13	1	20	18
9										
7										
6										

■ ツリー足し算

得点　／15

線でつながったマスの数どうしを足します。□にあてはまる答えを書きましょう。

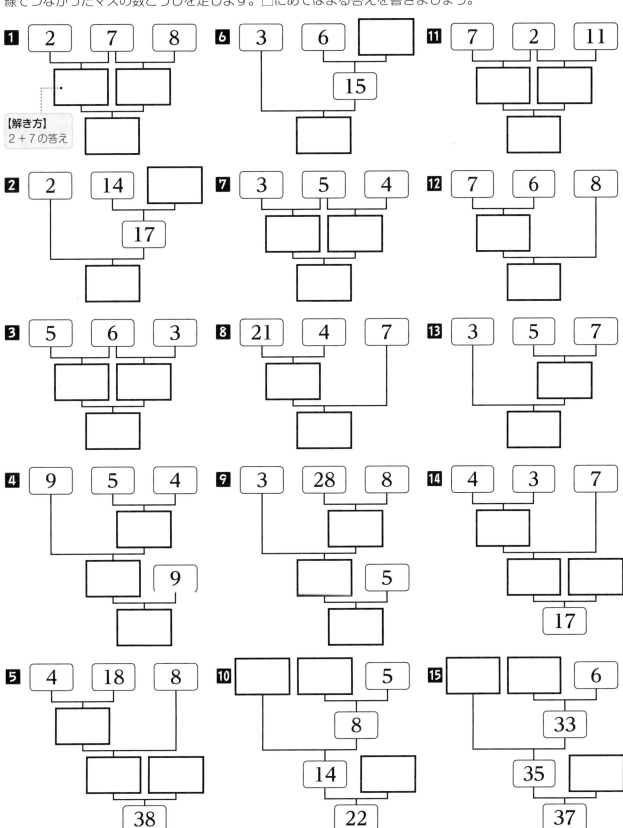

39日 ■ 面積クイズ

月　日　得点　／12

方眼の 1 マスは $1cm^2$ です。次の図形の面積を求めましょう。

1 □ cm^2　2 □ cm^2　3 □ cm^2　4 □ cm^2

5 □ cm^2　6 □ cm^2　7 □ cm^2　8 □ cm^2

9 □ cm^2　10 □ cm^2　11 □ cm^2　12 □ cm^2

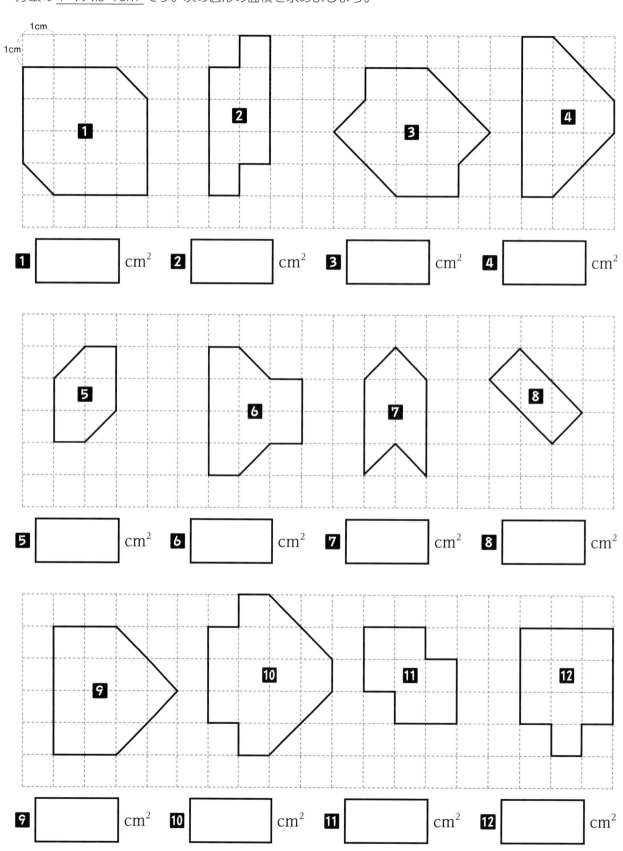

■ 2つの数と3つの数の計算

次の計算をしましょう。

1 6 ÷ 2 =

2 16 − 6 − 2 =

3 9 + 3 =

4 28 ÷ 7 =

5 6 × 2 =

6 28 − 7 =

7 34 − 5 − 3 =

8 16 + 2 =

9 21 − 5 =

10 35 + 9 − 2 =

11 30 − 4 =

12 38 + 1 + 4 =

13 3 × 8 =

14 9 + 32 =

15 7 + 8 + 7 =

16 24 ÷ 3 =

17 13 − 2 =

18 38 + 4 =

19 3 × 9 =

20 38 − 6 =

21 27 − 7 =

22 36 + 8 =

23 36 − 3 =

24 27 + 3 − 6 =

25 4 ÷ 4 =

26 39 + 2 − 6 =

27 6 + 5 =

28 15 ÷ 5 =

29 5 × 5 =

30 4 × 4 =

31 24 − 7 + 6 =

32 3 + 9 + 7 =

33 4 + 8 =

34 34 − 3 + 5 =

35 14 ÷ 2 =

36 16 + 9 − 3 =

37 3 × 2 =

38 32 − 6 + 9 =

39 7 + 6 + 4 =

40日

■ 魔方陣 ※解き方は16ページ。

月　日　得点　／12

★ 縦・横・斜めに足した数の合計が 27 になるように、□にあてはまる数を書きましょう。

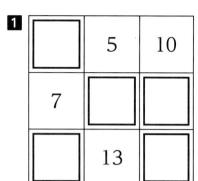

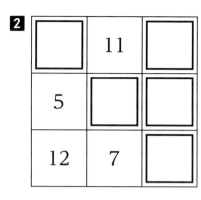

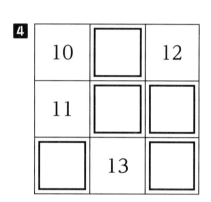

1

□	5	10
7	□	□
□	13	□

2

□	11	□
5	□	□
12	7	□

3

8	7	□
□	□	□
6	11	□

4

10	□	12
11	□	□
□	13	□

5

□	□	6
□	□	□
12	□	10

6

6	11	□
□	□	□
□	7	□

★ 縦・横・斜めに足した数の合計が同じになるように、□にあてはまる数を書きましょう。

7

13	□	□
12	14	□
□	□	15

8

□	□	□
4	□	□
5	10	3

9

8	13	12
□	11	□
□	□	□

10

9	□	11
□	8	□
5	□	□

11

11	16	9
□	□	□
□	□	13

12

□	□	8
□	7	□
6	11	□

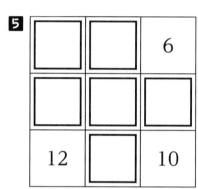

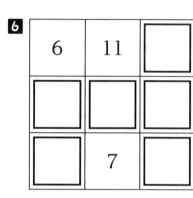

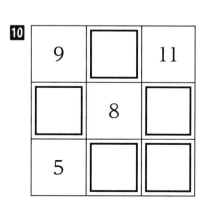

■ しりとり計算

得点 ／14

スタートから順に、計算した答えを□に書き込んで、ゴールまで進みましょう。

	スタート								ゴール
1	9	＋26 ⇒	□	− 3 ⇒	□	÷ 8 ⇒	□	＋ 6 ⇒	□
2	23	＋ 5 ⇒	□	÷ 7 ⇒	□	＋ 3 ⇒	□	× 6 ⇒	□
3	7	× 5 ⇒	□	÷ 7 ⇒	□	＋ 6 ⇒	□	＋ 4 ⇒	□
4	6	× 4 ⇒	□	÷ 3 ⇒	□	− 1 ⇒	□	× 3 ⇒	□
5	6	＋26 ⇒	□	− 8 ⇒	□	÷ 4 ⇒	□	＋13 ⇒	□
6	35	− 2 ⇒	□	＋ 6 ⇒	□	− 3 ⇒	□	÷ 6 ⇒	□
7	19	＋ 9 ⇒	□	− 6 ⇒	□	＋ 1 ⇒	□	− 8 ⇒	□
8	20	− 4 ⇒	□	÷ 8 ⇒	□	× 7 ⇒	□	＋ 2 ⇒	□
9	9	＋39 ⇒	□	÷ 6 ⇒	□	− 5 ⇒	□	＋ 4 ⇒	□
10	17	＋ 9 ⇒	□	− 8 ⇒	□	÷ 2 ⇒	□	＋ 5 ⇒	□
11	19	− 8 ⇒	□	＋ 5 ⇒	□	÷ 4 ⇒	□	× 3 ⇒	□
12	4	＋25 ⇒	□	− 2 ⇒	□	÷ 9 ⇒	□	× 5 ⇒	□
13	27	− 6 ⇒	□	÷ 3 ⇒	□	＋ 2 ⇒	□	＋ 8 ⇒	□
14	4	× 4 ⇒	□	− 9 ⇒	□	× 4 ⇒	□	＋ 3 ⇒	□

41日 ■ 積み木の体積

積み木1個は1cm³。Ⓐブロック、Ⓑブロック、Ⓒブロックを足して体積を求めましょう。

1
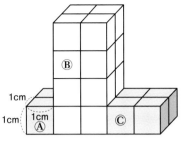

Ⓐ □ + Ⓑ □ + Ⓒ □ = 体積 □ cm³

2
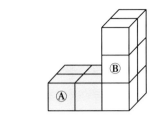

Ⓐ □ + Ⓑ □ = 体積 □ cm³

3
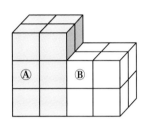

Ⓐ □ + Ⓑ □ = 体積 □ cm³

4
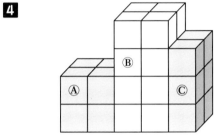

Ⓐ □ + Ⓑ □ + Ⓒ □ = 体積 □ cm³

5
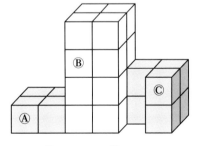

Ⓐ □ + Ⓑ □ + Ⓒ □ = 体積 □ cm³

6
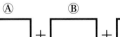

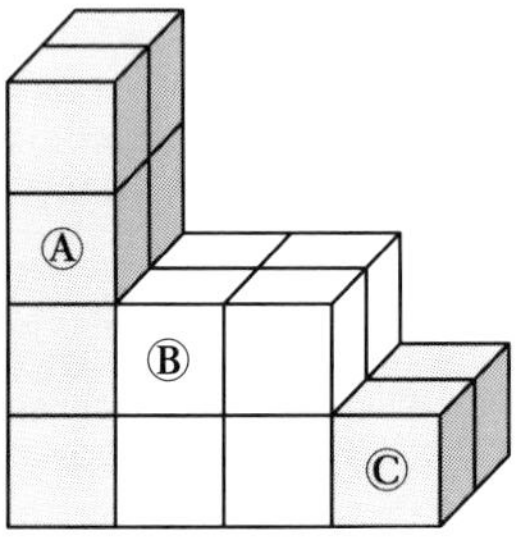

Ⓐ □ + Ⓑ □ + Ⓒ □ = 体積 □ cm³

7
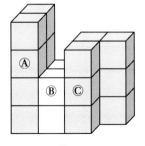

Ⓐ □ + Ⓑ □ + Ⓒ □ = 体積 □ cm³

8
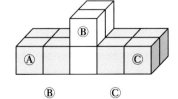

Ⓐ □ + Ⓑ □ + Ⓒ □ = 体積 □ cm³

■ 3つの穴あき計算

□にあてはまる数を書きましょう。解き方は 15 ページ。

1. $18 ÷ 3 = \square = 12 - \square = \square + 5$
2. $5 - 2 = \square = 15 ÷ \square = \square + 3$
3. $14 + 3 = \square = 19 - \square = \square + 6$
4. $2 × 4 = \square = 48 ÷ \square = \square - 6$
5. $28 + 5 = \square = 39 - \square = \square + 30$
6. $13 - 7 = \square = 12 ÷ \square = \square × 2$
7. $2 + 25 = \square = 18 + \square = \square - 9$
8. $9 + 19 = \square = 7 × \square = \square - 2$
9. $4 × 3 = \square = 18 - \square = \square + 5$
10. $35 ÷ 7 = \square = 13 - \square = \square ÷ 8$
11. $7 + 9 = \square = 4 × \square = \square + 3$
12. $40 ÷ 5 = \square = 2 × \square = \square - 6$
13. $13 + 8 = \square = 22 - \square = \square × 3$
14. $35 - 8 = \square = 6 + \square = \square × 9$
15. $5 × 3 = \square = 24 - \square = \square + 7$
16. $35 - 9 = \square = 23 + \square = \square - 3$
17. $21 - 7 = \square = 7 + \square = \square - 14$
18. $12 - 7 = \square = 8 - \square = \square ÷ 5$
19. $18 ÷ 9 = \square = 6 - \square = \square ÷ 8$
20. $2 + 22 = \square = 4 × \square = \square × 3$
21. $4 × 3 = \square = 15 - \square = \square + 5$
22. $17 - 2 = \square = 3 × \square = \square + 9$
23. $56 ÷ 7 = \square = 13 - \square = \square × 4$
24. $11 + 5 = \square = 4 × \square = \square - 3$
25. $2 × 5 = \square = 13 - \square = \square + 7$
26. $21 + 4 = \square = 5 × \square = \square + 18$

42日 マス計算（足し算10〜30マス）

縦の段と横の段の足し算をしましょう。解き方は13ページ。

1

+	6	19	12	11	29	31	7	25	37	4
5										

【解き方】5＋6の答え

2

+	8	17	38	2	27	21	3	16	10	33
9										

3

+	0	17	20	12	34	8	19	4	22	35
1										
7										

4

+	14	18	30	23	5	10	32	7	28	9
6										
2										
8										

5

+	11	13	1	26	39	36	15	6	24	3
4										
3										
9										

■ 長さの筆算

長さの足し算や引き算です。○cm ○mm と答えましょう。

1. 8 cm 2 mm ＋ 2 cm 1 mm = ___ cm ___ mm

2. 47cm 6 mm － 27cm 4 mm = ___ cm ___ mm

3. 38cm 5 mm － 35cm 1 mm = ___ cm ___ mm

4. 2 cm 7 mm ＋ 3 cm 8 mm = ___ cm ___ mm

5. 18cm 6 mm ＋ 1 cm 2 mm = ___ cm ___ mm

6. 21cm 6 mm ＋ 4 cm 5 mm = ___ cm ___ mm

7. 10cm 6 mm － 5 cm 8 mm = ___ cm ___ mm

8. 19cm 5 mm ＋ 9 cm 9 mm = ___ cm ___ mm

9. 1 cm 7 mm ＋ 17cm 4 mm = ___ cm ___ mm

10. 8 cm 1 mm － 1 cm 7 mm = ___ cm ___ mm

11. 1 cm 3 mm ＋ 33cm 8 mm = ___ cm ___ mm

12. 15cm 2 mm ＋ 11cm 1 mm = ___ cm ___ mm

13. 23cm 4 mm － 18cm 2 mm = ___ cm ___ mm

14. 21cm 3 mm － 6 cm 9 mm = ___ cm ___ mm

15. 12cm 5 mm － 3 cm 7 mm = ___ cm ___ mm

16. 31cm 3 mm － 6 cm 2 mm = ___ cm ___ mm

17. 6 cm 4 mm ＋ 34cm 5 mm = ___ cm ___ mm

18. 39cm 3 mm － 7 cm 8 mm = ___ cm ___ mm

19. 17cm 5 mm － 1 cm 3 mm = ___ cm ___ mm

20. 43cm 7 mm － 3 cm 2 mm = ___ cm ___ mm

21. 13cm 7 mm ＋ 12cm 7 mm = ___ cm ___ mm

43日 ■ ツリー足し算

線でつながったマスの数どうしを足します。□にあてはまる答えを書きましょう。

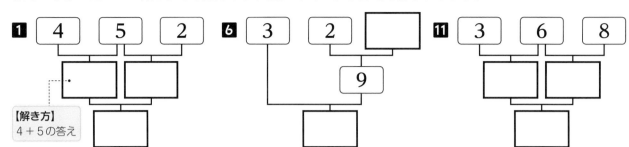
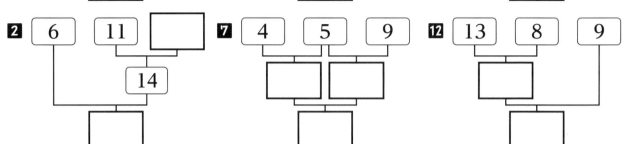
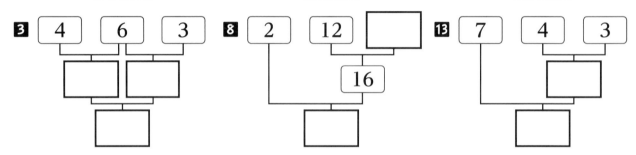
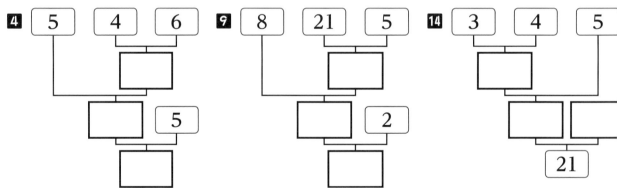
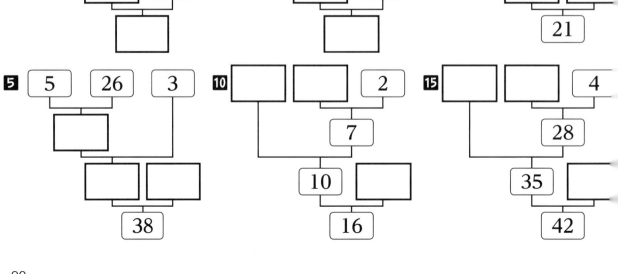

■ 魔方陣 ※解き方は16ページ。

得点 ／12

★ 縦・横・斜めに足した数の**合計が 15** になるように、□にあてはまる数を書きましょう。

1

□	□	□
3	□	7
□	9	2

2

6	□	□
1	5	□
□	3	□

3

□	□	8
□	5	□
□	7	6

4

6	1	□
□	5	3
□	□	□

5

□	□	2
□	□	□
□	1	6

6

2	7	□
□	□	□
□	□	8

★ 縦・横・斜めに足した数の**合計が同じ**になるように、□にあてはまる数を書きましょう。

7

13	□	□
□	10	□
9	□	7

8

□	2	7
□	□	8
□	□	3

9

□	□	9
□	8	□
7	12	□

10

□	□	8
□	7	9
□	□	4

11

□	□	□
17	13	9
10	□	□

12

15	□	□
10	14	18
□	□	□

44日 ■ 穴あき筆算

□にあてはまる数を書きましょう。

1
```
   □ 4
+  4 □
-------
   8 0
```

2
```
   6 □
-  □ 3
-------
   2 2
```

3
```
   □ 9
-  7 □
-------
     9
```

4
```
   5 □
-  □ 8
-------
   2 3
```

5
```
   □ 6
-  2 □
-------
     5
```

6
```
   □ 8
+  1 □
-------
   7 9
```

7
```
   □ 8
+  6 □
-------
 1 2 9
```

8
```
   3 □
+  □ 7
-------
 1 2 0
```

9
```
   6 □
+  □ 0
-------
 1 5 4
```

10
```
   7 □
-  □ 7
-------
   2 9
```

11
```
   □ 1
-  6 □
-------
   2 4
```

12
```
   □ 8
-  1 □
-------
   1 0
```

13
```
   □ 9
-  4 □
-------
   3 0
```

14
```
   5 □
+  □ 8
-------
 1 1 6
```

15
```
   3 □
+  □ 5
-------
   6 5
```

16
```
   6 □
+  □ 2
-------
   8 5
```

17
```
   7 □
-  □ 5
-------
   4 8
```

18
```
   3 □
+  □ 7
-------
   6 4
```

19
```
   □ 1
-  2 □
-------
   6 8
```

20
```
   □ 3
+  4 □
-------
 1 4 1
```

21
```
   6 □
-  □ 2
-------
   1 5
```

22
```
   3 □
+  □ 7
-------
 1 2 7
```

23
```
   □ 0
-  3 □
-------
   4 8
```

24
```
   □ 7
+  8 □
-------
 1 5 5
```

25
```
   □ 2
-  1 □
-------
   2 7
```

26
```
   2 □
+  □ 0
-------
   5 9
```

27
```
   □ 1
+  6 □
-------
   8 3
```

28
```
   4 □
-  □ 8
-------
     9
```

■ 三角形の面積

得点　／12

1 の式のように、次の三角形の面積を求めましょう。

1

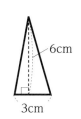

底辺 □ × 高さ □ ÷ 2 = 面積 □ cm^2

2

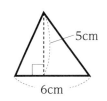

面積 □ cm^2

3

面積 □ cm^2

4

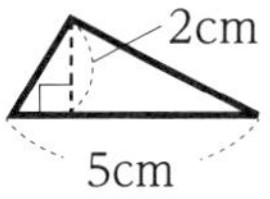

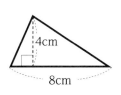

面積 □ cm^2

5

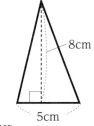

面積 □ cm^2

6

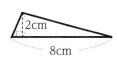

面積 □ cm^2

7

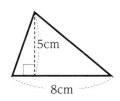

面積 □ cm^2

8

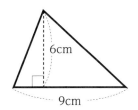

面積 □ cm^2

9

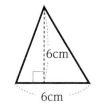

面積 □ cm^2

10

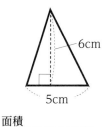

面積 □ cm^2

11

面積 □ cm^2

12

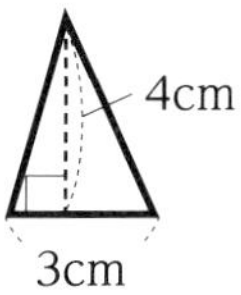

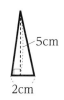

面積 □ cm^2

45日 ■ 3つの穴あき計算

□にあてはまる数を書きましょう。解き方は15ページ。

1. $8 + 23 = \boxed{} = 37 - \boxed{} = \boxed{} + 3$
14. $19 + 5 = \boxed{} = 4 \times \boxed{} = \boxed{} + 15$

2. $15 \div 3 = \boxed{} = 9 - \boxed{} = \boxed{} \div 2$
15. $4 \times 5 = \boxed{} = 18 + \boxed{} = \boxed{} - 4$

3. $2 \times 7 = \boxed{} = 11 + \boxed{} = \boxed{} - 3$
16. $3 + 14 = \boxed{} = 17 - \boxed{} = \boxed{} + 15$

4. $16 - 9 = \boxed{} = 1 \times \boxed{} = \boxed{} \div 5$
17. $18 - 8 = \boxed{} = 2 \times \boxed{} = \boxed{} + 3$

5. $4 \div 2 = \boxed{} = 18 \div \boxed{} = \boxed{} - 6$
18. $3 \times 5 = \boxed{} = 8 + \boxed{} = \boxed{} - 3$

6. $5 \times 2 = \boxed{} = 19 - \boxed{} = \boxed{} + 4$
19. $20 - 8 = \boxed{} = 3 \times \boxed{} = \boxed{} - 5$

7. $16 + 5 = \boxed{} = 25 - \boxed{} = \boxed{} + 20$
20. $13 - 9 = \boxed{} = 36 \div \boxed{} = \boxed{} \times 4$

8. $2 + 3 = \boxed{} = 30 \div \boxed{} = \boxed{} - 5$
21. $2 \times 4 = \boxed{} = 32 \div \boxed{} = \boxed{} + 5$

9. $30 - 2 = \boxed{} = 4 \times \boxed{} = \boxed{} + 25$
22. $13 + 3 = \boxed{} = 2 \times \boxed{} = \boxed{} - 4$

10. $22 + 4 = \boxed{} = 33 - \boxed{} = \boxed{} + 9$
23. $8 - 3 = \boxed{} = 35 \div \boxed{} = \boxed{} + 1$

11. $24 \div 4 = \boxed{} = 3 + \boxed{} = \boxed{} - 7$
24. $7 \times 2 = \boxed{} = 17 - \boxed{} = \boxed{} + 7$

12. $33 + 3 = \boxed{} = 6 \times \boxed{} = \boxed{} + 31$
25. $16 + 8 = \boxed{} = 8 \times \boxed{} = \boxed{} - 2$

13. $40 \div 8 = \boxed{} = 1 + \boxed{} = \boxed{} - 9$
26. $10 - 1 = \boxed{} = 36 \div \boxed{} = \boxed{} \times 3$

■ しりとり計算

得点 ／14

スタートから順に、計算した答えを□に書き込んで、ゴールまで進みましょう。

	スタート								ゴール
1	14	− 5 ⇒	□	+ 26 ⇒	□	÷ 5 ⇒	□	× 9 ⇒	□
2	21	+ 8 ⇒	□	− 2 ⇒	□	÷ 3 ⇒	□	+ 8 ⇒	□
3	6	+ 12 ⇒	□	− 9 ⇒	□	× 3 ⇒	□	− 6 ⇒	□
4	7	× 6 ⇒	□	− 9 ⇒	□	+ 3 ⇒	□	÷ 4 ⇒	□
5	6	× 5 ⇒	□	− 8 ⇒	□	+ 6 ⇒	□	÷ 7 ⇒	□
6	19	+ 5 ⇒	□	− 3 ⇒	□	÷ 3 ⇒	□	+ 3 ⇒	□
7	40	÷ 5 ⇒	□	+ 10 ⇒	□	÷ 6 ⇒	□	× 9 ⇒	□
8	6	× 3 ⇒	□	÷ 2 ⇒	□	+ 12 ⇒	□	÷ 7 ⇒	□
9	13	+ 7 ⇒	□	− 3 ⇒	□	+ 9 ⇒	□	+ 2 ⇒	□
10	9	× 4 ⇒	□	÷ 6 ⇒	□	+ 4 ⇒	□	− 5 ⇒	□
11	28	− 8 ⇒	□	÷ 4 ⇒	□	× 3 ⇒	□	+ 6 ⇒	□
12	18	− 3 ⇒	□	+ 9 ⇒	□	÷ 8 ⇒	□	× 7 ⇒	□
13	31	− 6 ⇒	□	+ 3 ⇒	□	− 4 ⇒	□	÷ 4 ⇒	□
14	8	+ 11 ⇒	□	− 7 ⇒	□	÷ 2 ⇒	□	× 7 ⇒	□

46日 ■ 時間の計算

□にあてはまる数を書きましょう。

1. 4時間2分 = □ 分
2. 6分 = □ 秒
3. 1時間13分 = □ 分
4. 1日16時間 = □ 時間
5. 2分28秒 = □ 秒
6. 2時間47分 = □ 分
7. 5分27秒 = □ 秒
8. 4日 = □ 時間
9. 2分50秒 = □ 秒
10. 10時間 = □ 分
11. 4分36秒 = □ 秒
12. 1時間59分 = □ 分
13. 1日2時間 = □ 時間

時間の足し算や引き算です。○時間○分と答えましょう。

14. 18時間52分 − 12時間11分 = □ 時間 □ 分
15. 40時間39分 − 23時間3分 = □ 時間 □ 分
16. 3時間54分 + 17時間9分 = □ 時間 □ 分
17. 22時間37分 − 5時間18分 = □ 時間 □ 分
18. 22時間16分 + 16時間41分 = □ 時間 □ 分
19. 18時間45分 + 4時間25分 = □ 時間 □ 分
20. 10時間23分 + 36時間35分 = □ 時間 □ 分
21. 16時間44分 − 5時間28分 = □ 時間 □ 分
22. 38時間9分 + 6時間24分 = □ 時間 □ 分
23. 1時間6分 + 6時間42分 = □ 時間 □ 分
24. 7時間58分 + 22時間42分 = □ 時間 □ 分
25. 47時間2分 − 44時間40分 = □ 時間 □ 分
26. 49時間34分 − 25時間15分 = □ 時間 □ 分

■ マス引き算

得点 /7

下の段に引き算した答えを書きましょう。

1 上の段から **9** を引く。(例：一番左は 22−9=□)

22	39	31	35	33	9	16	30	25	10

2 上の段から **4** を引く。

13	4	20	31	30	10	34	39	35	5

3 上の段から **1** を引く。

13	12	35	25	30	24	6	39	26	2

4 上の段から **8** を引く。

30	39	14	18	16	28	17	19	32	10

5 上の段から **2** を引く。

4	19	20	17	21	25	5	38	28	37

6 上の段から **7** を引く。

13	34	7	8	16	28	36	35	23	33

7 上の段から **6** を引く。

19	30	20	12	9	13	18	25	17	16

47日 ■ マス計算（足し算50マス）

縦の段と横の段の足し算をしましょう。解き方は13ページ。

1

+	4	2	6	8	3	0	1	9	5	7
3										
1										
8										
9										
2										

【解き方】2＋4の答え

2

+	6	0	7	5	1	2	9	8	3	4
6										
5										
7										
4										
1										

3

+	16	13	14	17	19	12	18	10	15	11
6										
2										
3										
9										
8										

2つの数と3つの数の計算

次の計算をしましょう。

1. 7 × 6 =
2. 8 + 4 + 5 =
3. 40 ÷ 5 =
4. 16 + 2 + 7 =
5. 6 × 4 =
6. 7 + 8 + 1 =
7. 3 + 5 =
8. 7 − 4 + 11 =
9. 20 ÷ 5 =
10. 21 − 2 =
11. 31 − 8 =
12. 25 − 5 =
13. 12 ÷ 3 =
14. 36 − 2 =
15. 7 + 26 − 4 =
16. 2 × 8 =
17. 6 + 36 − 8 =
18. 1 + 8 =
19. 13 + 7 =
20. 39 + 6 − 5 =
21. 4 + 1 =
22. 48 ÷ 8 =
23. 23 − 3 =
24. 1 + 10 =
25. 14 − 9 − 3 =
26. 9 + 7 =
27. 7 − 4 + 38 =
28. 13 − 6 =
29. 5 × 9 =
30. 63 ÷ 9 =
31. 2 + 24 + 3 =
32. 19 − 2 + 9 =
33. 27 + 4 =
34. 26 + 6 − 5 =
35. 27 − 5 − 7 =
36. 21 + 3 =
37. 6 + 19 + 7 =
38. 5 ÷ 5 =
39. 8 × 3 =

48日 ■ 積み木の体積

積み木1個は1cm³。Ⓐブロック、Ⓑブロック、Ⓒブロックを足して体積を求めましょう。

1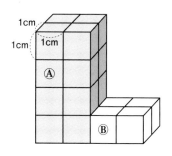

Ⓐ □ + Ⓑ □ = 体積 □ cm³

2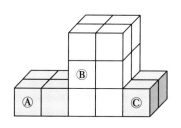

Ⓐ □ + Ⓑ □ + Ⓒ □ = 体積 □ cm³

3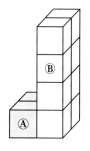

Ⓐ □ + Ⓑ □ = 体積 □ cm³

4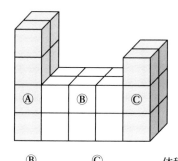

Ⓐ □ + Ⓑ □ + Ⓒ □ = 体積 □ cm³

5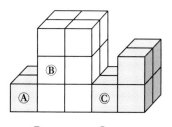

Ⓐ □ + Ⓑ □ + Ⓒ □ = 体積 □ cm³

6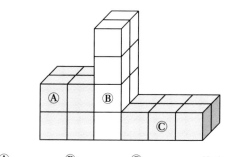

Ⓐ □ + Ⓑ □ + Ⓒ □ = 体積 □ cm³

7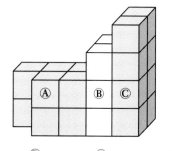

Ⓐ □ + Ⓑ □ + Ⓒ □ = 体積 □ cm³

8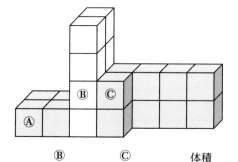

Ⓐ □ + Ⓑ □ + Ⓒ □ = 体積 □ cm³

■ 3つの穴あき計算

□にあてはまる数を書きましょう。解き方は 15 ページ。

1 22 − 6 = ☐ = 2 × ☐ = ☐ − 3

2 25 + 7 = ☐ = 39 − ☐ = ☐ × 8

3 25 + 4 = ☐ = 31 − ☐ = ☐ + 6

4 9 + 8 = ☐ = 21 − ☐ = ☐ + 5

5 8 + 12 = ☐ = 29 − ☐ = ☐ × 4

6 5 × 6 = ☐ = 33 − ☐ = ☐ + 4

7 4 × 5 = ☐ = 17 + ☐ = ☐ − 6

8 3 + 6 = ☐ = 12 − ☐ = ☐ ÷ 5

9 4 × 2 = ☐ = 4 + ☐ = ☐ − 1

10 2 × 8 = ☐ = 24 − ☐ = ☐ + 7

11 15 − 3 = ☐ = 9 + ☐ = ☐ × 2

12 9 ÷ 3 = ☐ = 15 ÷ ☐ = ☐ − 9

13 35 − 3 = ☐ = 8 × ☐ = ☐ + 29

14 2 + 6 = ☐ = 72 ÷ ☐ = ☐ − 8

15 6 × 4 = ☐ = 9 + ☐ = ☐ × 3

16 32 ÷ 8 = ☐ = 2 × ☐ = ☐ − 7

17 37 − 9 = ☐ = 19 + ☐ = ☐ × 7

18 36 ÷ 4 = ☐ = 3 + ☐ = ☐ − 7

19 27 ÷ 9 = ☐ = 11 − ☐ = ☐ ÷ 2

20 9 − 7 = ☐ = 2 × ☐ = ☐ ÷ 9

21 3 × 5 = ☐ = 18 − ☐ = ☐ + 11

22 20 − 2 = ☐ = 3 × ☐ = ☐ + 6

23 3 × 8 = ☐ = 16 + ☐ = ☐ − 2

24 12 − 2 = ☐ = 2 × ☐ = ☐ + 6

25 9 − 3 = ☐ = 10 − ☐ = ☐ × 3

26 6 × 2 = ☐ = 3 + ☐ = ☐ − 3

49日

■ 魔方陣 ※解き方は16ページ。

月　日　得点　／12

★ 縦・横・斜めに足した数の**合計が 30** になるように、□にあてはまる数を書きましょう。

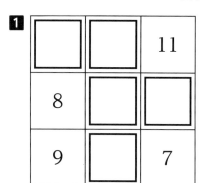

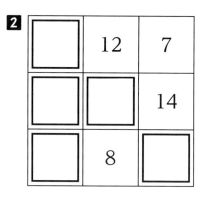

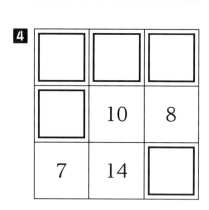

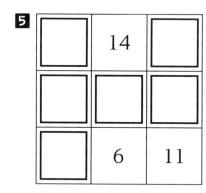

1

□	□	11
8	□	□
9	□	7

2

□	12	7
□	□	14
□	8	□

3

9	□	□
14	□	6
□	□	11

4

□	□	□
□	10	8
7	14	□

5

□	14	□
□	□	□
□	6	11

6

□	□	11
□	10	□
□	□	13

★ 縦・横・斜めに足した数の**合計が同じ**になるように、□にあてはまる数を書きましょう。

7

10	□	14
□	□	9
□	□	16

8

4	□	□
□	□	□
2	7	6

9

□	4	□
□	□	□
3	8	7

10

□	19	12
□	15	□
18	□	□

11

□	□	19
□	16	□
13	□	15

12

□	□	12
□	□	7
6	□	8

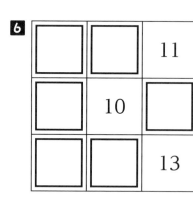

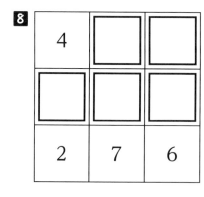

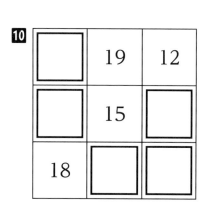

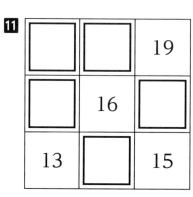

■ ツリー足し算

得点 ／15

線でつながったマスの数どうしを足します。□にあてはまる答えを書きましょう。

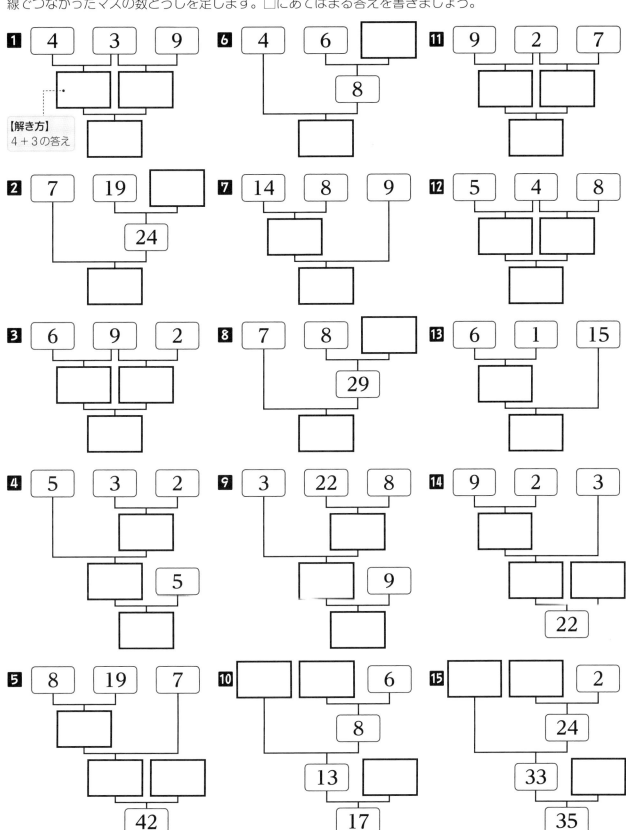

50日

■ マス計算（足し算50マス）

月　日　得点　／3

縦の段と横の段の足し算をしましょう。解き方は13ページ。

1

+	1	8	5	6	7	9	0	3	4	2
3										
6										
8										
1										
5										

【解き方】5＋1の答え

2

+	11	13	15	18	17	12	10	19	16	14
4										
7										
9										
2										
3										

3

+	20	28	27	22	26	29	24	25	21	23
7										
8										
2										
5										
6										

■ 筆算

次の筆算をしましょう。

❶ 20 + 21	❼ 46 + 52	⓭ 81 + 48	⓳ 47 + 90
❷ 79 − 15	❽ 84 − 49	⓮ 38 − 32	⓴ 99 − 87
❸ 42 × 53	❾ 88 × 21	⓯ 14 × 33	㉑ 62 × 27
❹ 43 + 20	❿ 70 + 77	⓰ 19 + 52	㉒ 32 + 94
❺ 86 − 76	⓫ 25 − 15	⓱ 88 − 83	㉓ 40 − 30
❻ 40 × 18	⓬ 48 × 52	⓲ 45 × 16	㉔ 37 × 74

51日 ■ いろいろな図形の面積

月　日　得点　／9

次の図で**斜線**の部分の**面積**を求めましょう。全体の面積から中の図形の面積を引きます。

1

底辺 □ × 高さ □ = 全体 □

□ − □ × □ ÷ 2（中の三角形）

= 面積 □ cm^2

2

1辺 □ × 1辺 □ = 全体 □

□ − □ × □（中の正方形）

= 面積 □ cm^2

3

縦 □ × 横 □ = 全体 □

□ − □ × □ ÷ 2（中の三角形）

= 面積 □ cm^2

4

縦 □ × 横 □ = 全体 □

□ − □ × □（中の長方形）

= 面積 □ cm^2

5

縦 □ × 横 □ = 全体 □

□ − □ × □（中の平行四辺形）

= 面積 □ cm^2

6

縦 □ × 横 □ = 全体 □

□ − □ × □（中の長方形）

= 面積 □ cm^2

7

底辺 □ × 高さ □ = 全体 □

□ − □ × □（中の平行四辺形）

= 面積 □ cm^2

8

縦 □ × 横 □ = 全体 □

□ − □ × □（中の正方形）

= 面積 □ cm^2

9

縦 □ × 横 □ = 全体 □

□ − □ × □（中の長方形）

= 面積 □ cm^2

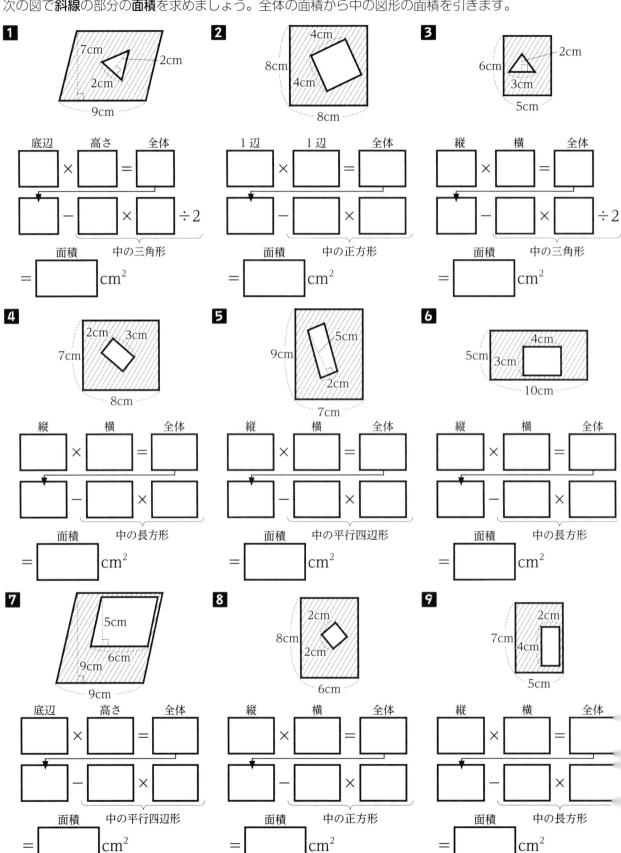

■ 魔方陣 ※解き方は16ページ。

得点 /12

★ 縦・横・斜めに足した数の**合計が21**になるように、□にあてはまる数を書きましょう。

1
	3	8
	7	
		4

2
	7	11
10		6

3
	5	
		3
	9	8

4
	3	
	7	5
4		

5
6	11	
		9

6
11	7	
		10

★ 縦・横・斜めに足した数の**合計が同じ**になるように、□にあてはまる数を書きましょう。

7
		11
12	8	
5		

8
		13
12	10	8

9
12	7	
	11	
		10

10
2	7	6
		8

11
		12
6	11	10

12
17	12	
	18	
13		

52日 ■ マス足し算

上の段と下の段の足し算です。下の段に数字を入れましょう。

1 足して26になるように、下の段に数を書きましょう。（例：一番左は25＋□＝26）

25	9	7	14	8	22	20	16	24	23

2 足して29になるように、下の段に数を書きましょう。

9	6	28	5	7	25	12	23	8	2

3 足して13になるように、下の段に数を書きましょう。

1	8	6	9	3	2	12	13	0	5

4 足して22になるように、下の段に数を書きましょう。

13	3	20	2	21	17	15	1	16	11

5 足して32になるように、下の段に数を書きましょう。

10	30	24	1	25	14	7	6	9	16

6 足して10になるように、下の段に数を書きましょう。

3	1	8	0	2	7	6	10	5	9

7 足して36になるように、下の段に数を書きましょう。

28	7	2	12	32	6	18	27	19	31

■ 時間の計算

得点 ／26

時間の足し算や引き算です。○時間○分と答えましょう。

1 36時間 3 分＋ 1 時間20分＝ 時間 分

2 13時間32分－ 8 時間49分＝ 時間 分

3 42時間42分－27時間27分＝ 時間 分

4 4 時間43分＋25時間39分＝ 時間 分

5 46時間29分－44時間24分＝ 時間 分

6 31時間46分－ 7 時間29分＝ 時間 分

7 7 時間33分＋19時間18分＝ 時間 分

8 21時間16分－11時間22分＝ 時間 分

9 29時間14分＋11時間30分＝ 時間 分

10 39時間24分－18時間17分＝ 時間 分

11 8 時間29分－ 6 時間44分＝ 時間 分

12 42時間38分＋ 6 時間 5 分＝ 時間 分

13 1 時間22分＋33時間45分＝ 時間 分

14 47時間19分－25時間34分＝ 時間 分

15 42時間24分－32時間 3 分＝ 時間 分

16 43時間57分－14時間24分＝ 時間 分

17 15時間34分＋ 4 時間17分＝ 時間 分

18 1 時間26分＋10時間18分＝ 時間 分

19 5 時間48分＋16時間16分＝ 時間 分

20 33時間 5 分－26時間15分＝ 時間 分

21 30時間36分＋15時間37分＝ 時間 分

22 37時間10分－ 1 時間58分＝ 時間 分

23 19時間11分＋23時間39分＝ 時間 分

24 46時間25分－32時間14分＝ 時間 分

25 11時間59分＋26時間58分＝ 時間 分

26 2 時間14分＋29時間26分＝ 時間 分

53日 ■ 3つの穴あき計算

□にあてはまる数を書きましょう。解き方は15ページ。

1. $3 \times 3 = \square = 14 - \square = \square \div 3$
2. $30 + 3 = \square = 35 - \square = \square + 8$
3. $18 \div 2 = \square = 63 \div \square = \square - 4$
4. $11 + 6 = \square = 2 + \square = \square - 6$
5. $36 - 6 = \square = 10 \times \square = \square + 9$
6. $3 + 4 = \square = 15 - \square = \square \div 2$
7. $8 \div 8 = \square = 8 - \square = \square \div 6$
8. $8 + 9 = \square = 25 - \square = \square + 4$
9. $14 + 2 = \square = 21 - \square = \square \times 8$
10. $10 \div 2 = \square = 12 - \square = \square \div 4$
11. $8 + 16 = \square = 25 - \square = \square \times 3$
12. $5 \times 5 = \square = 33 - \square = \square + 24$
13. $18 - 6 = \square = 8 + \square = \square \times 6$
14. $34 - 2 = \square = 4 \times \square = \square + 9$
15. $8 \div 4 = \square = 3 - \square = \square \div 7$
16. $3 \times 9 = \square = 6 + \square = \square - 3$
17. $13 + 6 = \square = 20 - \square = \square + 4$
18. $16 + 4 = \square = 4 \times \square = \square - 8$
19. $21 - 6 = \square = 3 \times \square = \square - 4$
20. $11 - 2 = \square = 72 \div \square = \square \times 3$
21. $4 \times 4 = \square = 6 + \square = \square - 5$
22. $2 + 8 = \square = 5 \times \square = \square - 6$
23. $2 \times 7 = \square = 12 + \square = \square - 5$
24. $24 \div 6 = \square = 13 - \square = \square \div 7$
25. $13 + 8 = \square = 3 \times \square = \square - 4$
26. $2 \times 5 = \square = 14 - \square = \square + 6$

ツリー足し算

線でつながったマスの数どうしを足します。□にあてはまる答えを書きましょう。

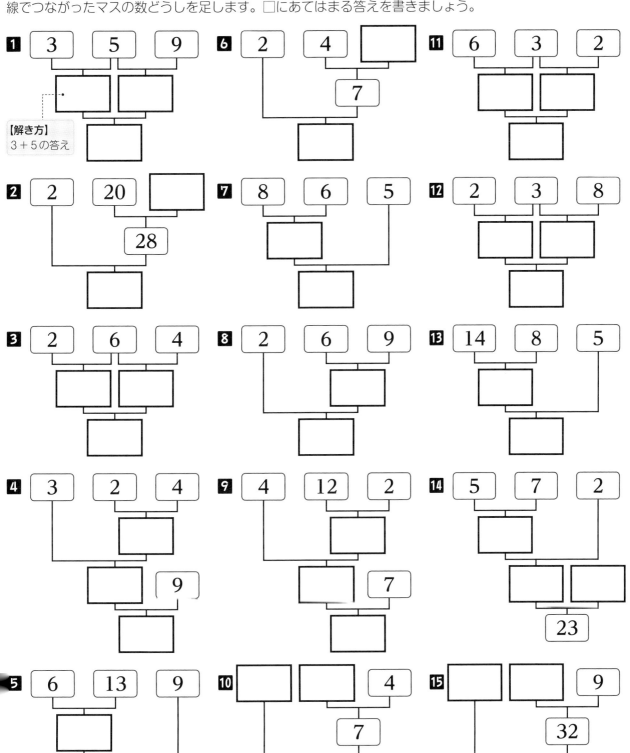

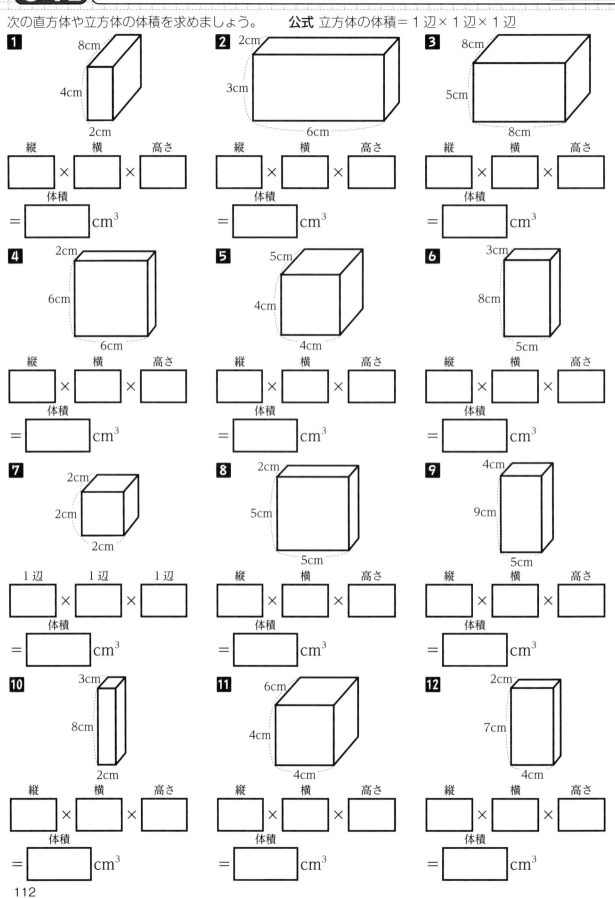

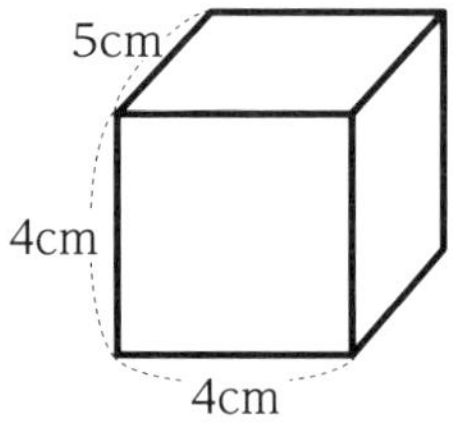

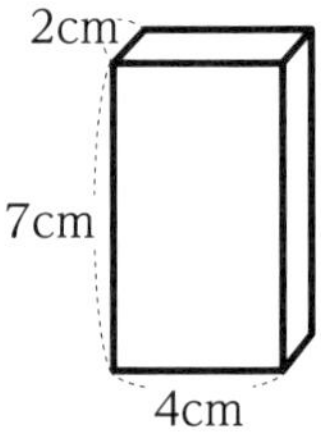

2つの数と3つの数の計算

次の計算をしましょう。

1. 6 − 4 + 10 =
2. 0 ÷ 9 =
3. 15 − 7 − 4 =
4. 24 − 7 =
5. 14 ÷ 7 =
6. 21 + 6 =
7. 2 + 8 =
8. 11 − 9 + 6 =
9. 48 ÷ 6 =
10. 30 + 5 − 4 =
11. 24 ÷ 6 =
12. 9 + 12 − 8 =
13. 23 + 4 + 7 =
14. 42 ÷ 6 =
15. 26 + 3 + 4 =
16. 20 − 7 =
17. 25 + 4 =
18. 6 + 38 − 8 =
19. 25 − 5 + 6 =
20. 4 × 5 =
21. 9 ÷ 1 =
22. 31 − 5 − 6 =
23. 25 − 3 =
24. 9 × 6 =
25. 7 + 12 =
26. 14 − 7 + 5 =
27. 7 × 3 =
28. 28 + 4 =
29. 8 + 7 =
30. 29 − 2 =
31. 10 + 5 =
32. 4 × 8 =
33. 38 − 2 =
34. 3 + 4 =
35. 7 − 3 =
36. 23 − 8 =
37. 2 × 2 =
38. 8 + 15 =
39. 19 − 5 − 3 =

55日 ■ 長さの筆算

月　日　得点　／21

長さの足し算や引き算です。◯cm◯mmと答えましょう。

1
12cm 9mm
+ 11cm 8mm
（　cm　mm）

2
17cm 2mm
+ 16cm 6mm
（　cm　mm）

3
5cm 7mm
+ 31cm 4mm
（　cm　mm）

4
9cm 2mm
− 3cm 7mm
（　cm　mm）

5
32cm 3mm
− 4cm 1mm
（　cm　mm）

6
22cm 6mm
− 3cm 8mm
（　cm　mm）

7
12cm 8mm
+ 16cm 4mm
（　cm　mm）

8
39cm 5mm
− 37cm 4mm
（　cm　mm）

9
32cm 4mm
+ 8cm 2mm
（　cm　mm）

10
26cm 6mm
− 11cm 9mm
（　cm　mm）

11
43cm 6mm
− 39cm 5mm
（　cm　mm）

12
15cm 4mm
+ 1cm 3mm
（　cm　mm）

13
16cm 8mm
+ 17cm 4mm
（　cm　mm）

14
9cm 6mm
− 2cm 9mm
（　cm　mm）

15
27cm 2mm
− 5cm 5mm
（　cm　mm）

16
27cm 7mm
− 16cm 4mm
（　cm　mm）

17
13cm 3mm
+ 32cm 9mm
（　cm　mm）

18
6cm 2mm
+ 17cm 6mm
（　cm　mm）

19
11cm 1mm
− 3cm 8mm
（　cm　mm）

20
4cm 1mm
+ 23cm 8mm
（　cm　mm）

21
31cm 5mm
− 14cm 9mm
（　cm　mm）

■ 魔方陣 ※解き方は16ページ。

得点 /12

★ 縦・横・斜めに足した数の**合計が33**になるように、□にあてはまる数を書きましょう。

1
	7	
9		13
		8

2
	13	
	11	
14		10

3
15		7
8	13	

4
12	7	
		9
8		

5
10	15	
	11	

6
		12
15		
10		

★ 縦・横・斜めに足した数の**合計が同じ**になるように、□にあてはまる数を書きましょう。

7
9		
4		
11	6	

8
	11	10
		5
		12

9
8		
	7	
	11	6

10
11		15
	12	
9		

11
5	4	
	6	
	8	

12
16		12
	11	
	18	

56日 ■ 穴あき筆算

□にあてはまる数を書きましょう。

1
```
    7 □
+   □ 1
─────────
  1 1 4
```

2
```
    □ 0
-   2 □
─────────
    6 3
```

3
```
    8 □
+   □ 7
─────────
  1 4 8
```

4
```
    □ 5
-   5 □
─────────
    3 1
```

5
```
    6 □
+   □ 9
─────────
    9 4
```

6
```
    □ 4
-   5 □
─────────
    1 2
```

7
```
    □ 5
+   6 □
─────────
  1 1 4
```

8
```
    5 □
+   □ 1
─────────
    8 1
```

9
```
    5 □
+   □ 5
─────────
    8 6
```

10
```
    8 □
+   □ 2
─────────
  1 7 8
```

11
```
    □ 4
-   1 □
─────────
    1 6
```

12
```
    8 □
-   □ 5
─────────
    2 6
```

13
```
    □ 6
+   4 □
─────────
    8 6
```

14
```
    5 □
+   □ 7
─────────
    7 7
```

15
```
    □ 8
+   2 □
─────────
    4 8
```

16
```
    5 □
-   □ 8
─────────
      4
```

17
```
    4 □
-   □ 1
─────────
    1 5
```

18
```
    8 □
-   □ 5
─────────
    7 4
```

19
```
    □ 5
-   2 □
─────────
    1 0
```

20
```
    □ 5
-   2 □
─────────
      2
```

21
```
    6 □
+   □ 8
─────────
  1 2 8
```

22
```
    8 □
-   □ 6
─────────
    4 3
```

23
```
    □ 4
+   7 □
─────────
  1 0 5
```

24
```
    □ 8
+   3 □
─────────
  1 2 8
```

25
```
    □ 6
+   4 □
─────────
    9 1
```

26
```
    □ 7
-   2 □
─────────
    1 6
```

27
```
    □ 1
-   1 □
─────────
    2 7
```

28
```
    □ 2
-   1 □
─────────
      5
```

■ 3つの穴あき計算

□にあてはまる数を書きましょう。解き方は15ページ。

1 32 + 4 = □ = 6 × □ = □ − 1　　**14** 8 + 16 = □ = 3 × □ = □ − 7

2 16 ÷ 2 = □ = 12 − □ = □ + 5　　**15** 2 + 23 = □ = 34 − □ = □ × 5

3 15 − 9 = □ = 6 × □ = □ ÷ 4　　**16** 19 + 1 = □ = 5 × □ = □ − 8

4 16 ÷ 4 = □ = 28 ÷ □ = □ − 9　　**17** 31 − 2 = □ = 25 + □ = □ + 22

5 14 ÷ 2 = □ = 63 ÷ □ = □ − 5　　**18** 2 + 7 = □ = 3 × □ = □ − 2

6 3 × 2 = □ = 36 ÷ □ = □ − 6　　**19** 33 + 3 = □ = 37 − □ = □ × 6

7 20 ÷ 4 = □ = 7 − □ = □ ÷ 9　　**20** 2 × 3 = □ = 4 + □ = □ ÷ 5

8 27 − 6 = □ = 7 × □ = □ + 18　　**21** 45 ÷ 9 = □ = 11 − □ = □ + 3

9 33 − 9 = □ = 4 × □ = □ + 6　　**22** 21 − 9 = □ = 4 × □ = □ + 8

10 7 − 4 = □ = 9 ÷ □ = □ ÷ 8　　**23** 3 × 5 = □ = 9 + □ = □ − 3

11 6 × 5 = □ = 6 + □ = □ − 3　　**24** 14 − 4 = □ = 2 × □ = □ + 8

12 8 × 2 = □ = 21 − □ = □ + 8　　**25** 2 + 6 = □ = 4 × □ = □ ÷ 5

13 6 ÷ 6 = □ = 10 − □ = □ ÷ 9　　**26** 4 × 4 = □ = 11 + □ = □ × 8

57日 ■ マス計算（足し算50マス）

月　日　得点 /3

縦の段と横の段の足し算をしましょう。解き方は13ページ。

1

+	10	16	19	15	13	11	12	17	14	18
5										
4										
7										
1										
3										

【解き方】3 + 10 の答え

2

+	11	29	22	17	20	14	28	23	15	26
8										
2										
9										
6										
4										

3

+	16	35	21	32	24	13	38	27	19	30
2										
9										
8										
5										
7										

■ しりとり計算

得点 ／14

スタートから順に、計算した答えを□に書き込んで、ゴールまで進みましょう。

	スタート								ゴール
1	23	− 5 ⇒	□	÷ 3 ⇒	□	× 2 ⇒	□	+ 4 ⇒	□
2	13	+ 4 ⇒	□	− 8 ⇒	□	+ 18 ⇒	□	÷ 3 ⇒	□
3	37	− 9 ⇒	□	+ 8 ⇒	□	÷ 6 ⇒	□	× 9 ⇒	□
4	23	− 9 ⇒	□	÷ 7 ⇒	□	+ 5 ⇒	□	+ 9 ⇒	□
5	39	− 4 ⇒	□	÷ 5 ⇒	□	× 2 ⇒	□	+ 6 ⇒	□
6	19	− 9 ⇒	□	+ 5 ⇒	□	÷ 3 ⇒	□	+ 6 ⇒	□
7	9	+ 21 ⇒	□	− 4 ⇒	□	+ 2 ⇒	□	÷ 4 ⇒	□
8	29	+ 5 ⇒	□	− 7 ⇒	□	÷ 3 ⇒	□	× 9 ⇒	□
9	23	+ 3 ⇒	□	− 6 ⇒	□	÷ 4 ⇒	□	+ 3 ⇒	□
10	7	− 5 ⇒	□	+ 8 ⇒	□	− 5 ⇒	□	× 5 ⇒	□
11	28	+ 7 ⇒	□	− 9 ⇒	□	+ 6 ⇒	□	÷ 4 ⇒	□
12	24	+ 1 ⇒	□	− 9 ⇒	□	− 7 ⇒	□	× 3 ⇒	□
13	5	+ 34 ⇒	□	− 9 ⇒	□	÷ 6 ⇒	□	+ 6 ⇒	□
14	23	+ 9 ⇒	□	÷ 8 ⇒	□	+ 24 ⇒	□	− 6 ⇒	□

58日 ■ 2つの数と3つの数の計算

次の計算をしましょう。

1. $7 \times 5 =$
2. $8 + 16 =$
3. $27 + 5 - 8 =$
4. $4 + 36 =$
5. $36 \div 9 =$
6. $33 - 6 =$
7. $35 + 3 =$
8. $8 + 4 =$
9. $24 \div 8 =$
10. $39 - 6 =$
11. $19 + 7 + 2 =$
12. $25 + 9 + 5 =$
13. $11 - 3 =$

14. $2 + 17 - 9 =$
15. $9 + 5 =$
16. $25 - 6 - 4 =$
17. $5 \times 6 =$
18. $38 + 6 - 8 =$
19. $3 + 22 =$
20. $33 - 2 + 9 =$
21. $9 \times 3 =$
22. $1 + 35 =$
23. $9 - 2 - 5 =$
24. $6 \div 3 =$
25. $18 - 5 + 9 =$
26. $24 - 2 =$

27. $5 + 6 =$
28. $36 \div 6 =$
29. $7 + 11 - 6 =$
30. $5 + 3 =$
31. $7 + 12 + 3 =$
32. $28 \div 4 =$
33. $4 \times 9 =$
34. $9 + 9 + 2 =$
35. $35 - 5 =$
36. $16 - 8 =$
37. $3 \div 3 =$
38. $8 \times 8 =$
39. $37 - 5 - 3 =$

■ いろいろな図形の面積

得点　／9

次の図で**斜線**の部分の**面積**を求めましょう。全体の面積から中の図形の面積を引きます。

1

1辺 □ × 1辺 □ = 全体 □

□ − □ × □ ÷ 2（中の三角形）

面積 = □ cm^2

2

1辺 □ × 1辺 □ = 全体 □

□ − □ × □（中の平行四辺形）

面積 = □ cm^2

3

縦 □ × 横 □ = 全体 □

□ − □ × □（中の長方形）

面積 = □ cm^2

4

底辺 □ × 高さ □ = 全体 □

□ − □ × □（中の長方形）

面積 = □ cm^2

5

縦 □ × 横 □ = 全体 □

□ − □ × □ ÷ 2（中の三角形）

面積 = □ cm^2

6

縦 □ × 横 □ = 全体 □

□ − □ × □（中の平行四辺形）

面積 = □ cm^2

7

縦 □ × 横 □ = 全体 □

□ − □ × □（中の長方形）

面積 = □ cm^2

8

底辺 □ × 高さ □ = 全体 □

□ − □ × □（中の平行四辺形）

面積 = □ cm^2

9

1辺 □ × 1辺 □ = 全体 □

□ − □ × □（中の正方形）

面積 = □ cm^2

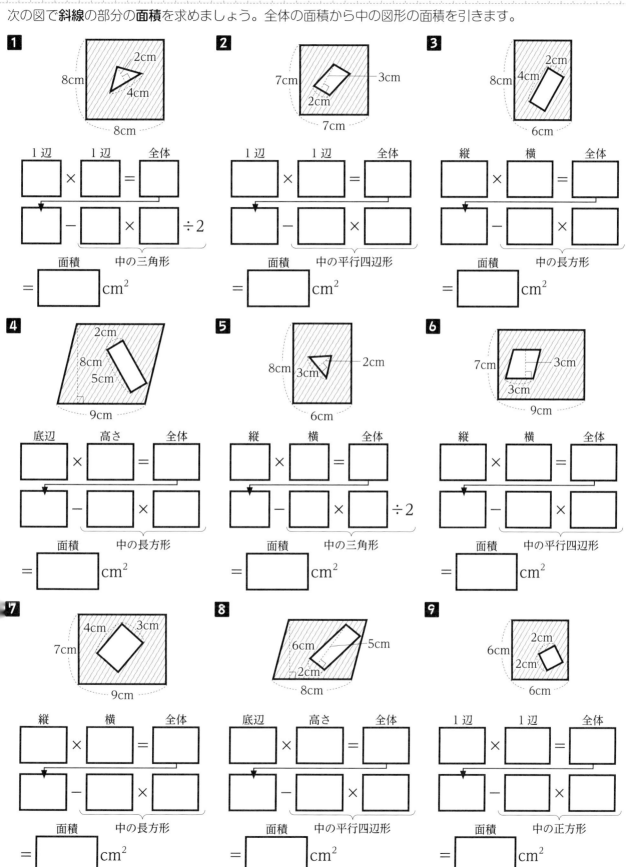

59日 ■ ツリー足し算

月　日　得点／15

線でつながったマスの数どうしを足します。□にあてはまる答えを書きましょう。

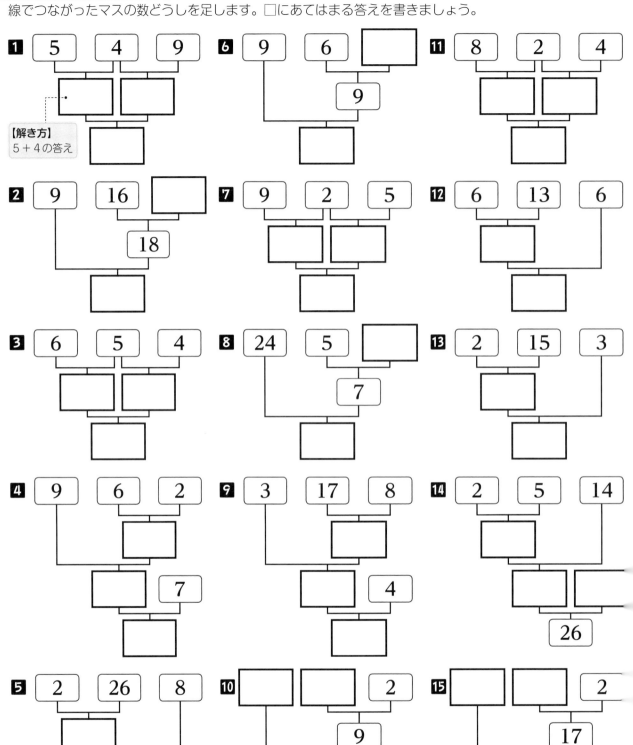

■ 面積クイズ

得点　／12

方眼の1マスは1cm^{2}です。次の図形の面積を求めましょう。

1 ____ cm^2　2 ____ cm^2　3 ____ cm^2　4 ____ cm^2

5 ____ cm^2　6 ____ cm^2　7 ____ cm^2　8 ____ cm^2

9 ____ cm^2　10 ____ cm^2　11 ____ cm^2　12 ____ cm^2

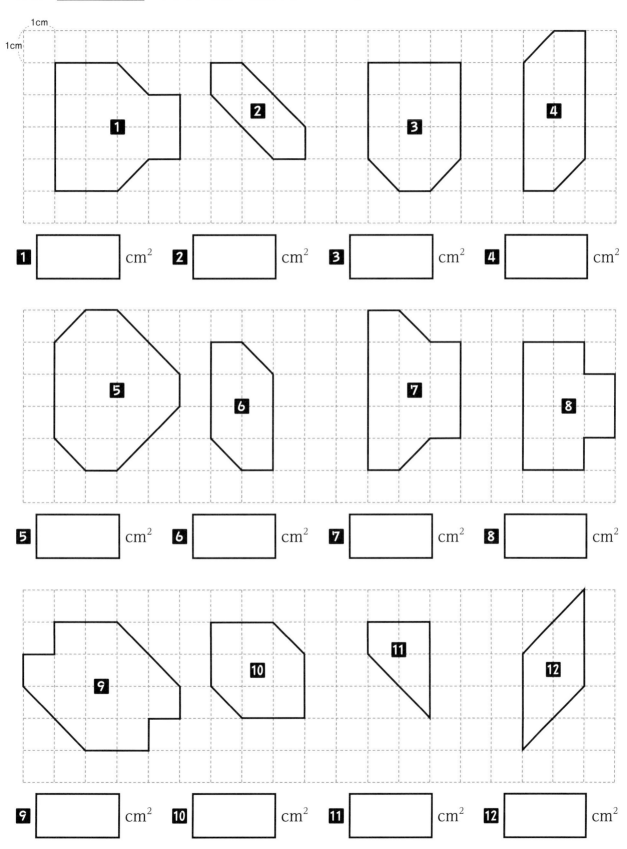

60日 ■ 3つの穴あき計算

□にあてはまる数を書きましょう。解き方は 15 ページ。

1 $10+6=\square=24-\square=\square+9$　**14** $5\times4=\square=25-\square=\square+17$

2 $9+6=\square=24-\square=\square\times3$　**15** $28-4=\square=15+\square=\square\times4$

3 $30-6=\square=27-\square=\square+7$　**16** $2+20=\square=25-\square=\square+8$

4 $4+24=\square=4\times\square=\square+7$　**17** $7\div7=\square=3-\square=\square\div5$

5 $45\div5=\square=18-\square=\square\div2$　**18** $5\times2=\square=3+\square=\square-3$

6 $29-8=\square=3\times\square=\square+12$　**19** $25\div5=\square=30\div\square=\square-1$

7 $37-7=\square=6\times\square=\square+23$　**20** $9+23=\square=30+\square=\square\times8$

8 $8-6=\square=16\div\square=\square-9$　**21** $3\times6=\square=21-\square=\square\times3$

9 $6\times6=\square=38-\square=\square+8$　**22** $16-4=\square=3\times\square=\square+9$

10 $12-4=\square=2\times\square=\square+5$　**23** $31+1=\square=33-\square=\square\times4$

11 $20\div4=\square=5\times\square=\square\div6$　**24** $4+5=\square=36\div\square=\square\times9$

12 $11-5=\square=42\div\square=\square\times3$　**25** $18-3=\square=8+\square=\square\times5$

13 $32\div8=\square=2\times\square=\square-9$　**26** $10-2=\square=2\times\square=\square\div6$

■ いろいろな図形の面積

得点 ／9

次の図で**斜線**の部分の**面積**を求めましょう。全体の面積から中の図形の面積を引きます。

1

縦 □ × 横 □ ＝ 全体 □

□ − □ × □（中の平行四辺形）

面積 ＝ □ cm^2

2

底辺 □ × 高さ □ ＝ 全体 □

□ − □ × □（中の長方形）

面積 ＝ □ cm^2

3

縦 □ × 横 □ ＝ 全体 □

□ − □ × □（中の正方形）

面積 ＝ □ cm^2

4

底辺 □ × 高さ □ ＝ 全体 □

□ − □ × □ ÷2（中の三角形）

面積 ＝ □ cm^2

5

1辺 □ × 1辺 □ ＝ 全体 □

□ − □ × □（中の長方形）

面積 ＝ □ cm^2

6

底辺 □ × 高さ □ ＝ 全体 □

□ − □ × □（中の正方形）

面積 ＝ □ cm^2

7

縦 □ × 横 □ ＝ 全体 □

□ − □ × □ ÷2（中の三角形）

面積 ＝ □ cm^2

8

縦 □ × 横 □ ＝ 全体 □

□ − □ × □（中の長方形）

面積 ＝ □ cm^2

9

1辺 □ × 1辺 □ ＝ 全体 □

□ − □ × □ ÷2（中の三角形）

面積 ＝ □ cm^2

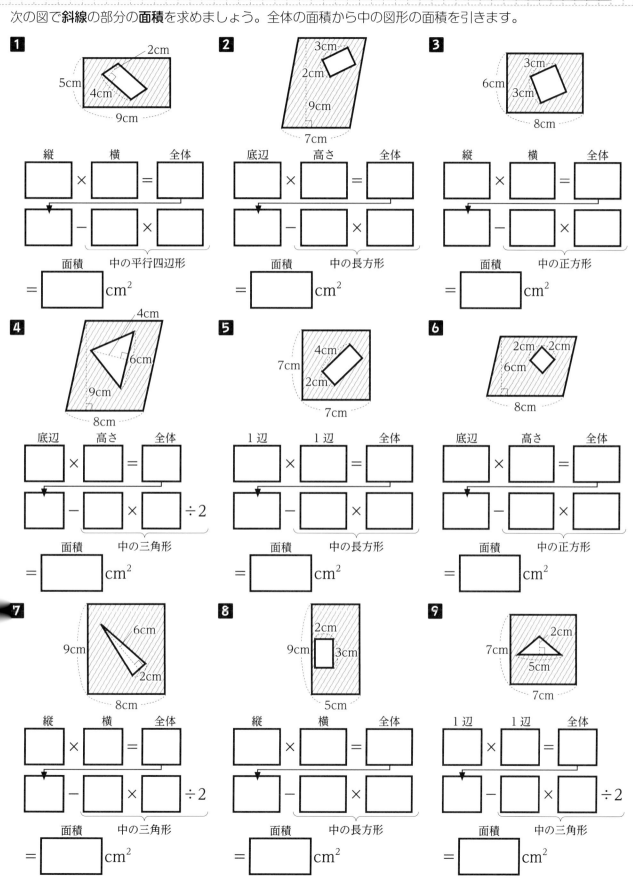

61日 魔方陣 ※解き方は16ページ。

★ 縦・横・斜めに足した数の**合計が36**になるように、□にあてはまる数を書きましょう。

1
		13
	12	14
	16	

2
	14	
8	12	
		11

3
	10	15
9	14	

4
13	8	
	16	11

5
	16	
15		13

6
		13
16		
		15

★ 縦・横・斜めに足した数の**合計が同じ**になるように、□にあてはまる数を書きましょう。

7
	11	
10	15	8

8
12		
5	10	9

9
		11
	14	16
17		

10
4	9	8
11		

11
6		10
	9	
		12

12
		12
9	14	7

■ 2つの数と3つの数の計算

得点 /39

次の計算をしましょう。

1. $4 + 20 =$
2. $4 \times 2 =$
3. $28 - 6 + 8 =$
4. $3 \times 6 =$
5. $34 - 5 + 3 =$
6. $28 - 2 =$
7. $6 - 2 =$
8. $2 \times 9 =$
9. $19 - 4 - 5 =$
10. $7 \div 1 =$
11. $2 + 17 + 6 =$
12. $7 \times 4 =$
13. $2 + 3 + 7 =$
14. $2 \times 5 =$
15. $32 \div 4 =$
16. $4 + 9 - 10 =$
17. $13 - 4 =$
18. $12 - 5 + 7 =$
19. $26 - 2 =$
20. $8 \times 2 =$
21. $36 + 7 - 3 =$
22. $36 \div 4 =$
23. $15 + 9 =$
24. $27 \div 3 =$
25. $7 + 1 =$
26. $20 + 9 - 7 =$
27. $14 - 2 - 5 =$
28. $0 + 8 =$
29. $15 + 4 =$
30. $23 + 6 + 3 =$
31. $7 \times 8 =$
32. $13 - 3 + 2 =$
33. $31 + 9 =$
34. $39 + 2 - 8 =$
35. $18 - 7 =$
36. $72 \div 8 =$
37. $31 - 6 =$
38. $9 \div 3 =$
39. $6 + 7 =$

62日 ■ 筆算

次の筆算をしましょう。

1	84 + 63	7	19 + 71	13	42 + 75	19	44 + 13
2	32 − 15	8	56 − 41	14	76 − 28	20	99 − 56
3	63 × 64	9	94 × 58	15	17 × 65	21	43 × 64
4	21 + 92	10	47 + 44	16	26 + 17	22	64 + 83
5	23 − 18	11	74 − 61	17	82 − 10	23	75 − 73
6	62 × 25	12	34 × 44	18	42 × 11	24	20 × 23

■ ツリー足し算

得点 ／15

線でつながったマスの数どうしを足します。□にあてはまる答えを書きましょう。

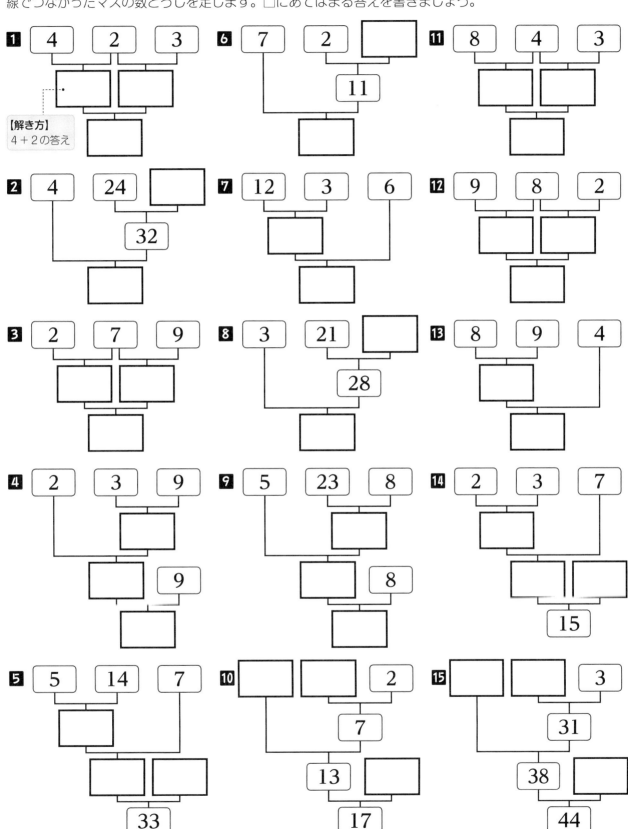

解答

1日　しりとり計算（答えは左→右の順）

1 14, 8, 9, 63　**2** 27, 9, 7, 21　**3** 18, 3, 9, 13　**4** 25, 5, 3, 9　**5** 28, 7, 8, 72
6 37, 30, 5, 13　**7** 10, 15, 3, 18　**8** 38, 35, 5, 40　**9** 21, 13, 22, 15　**10** 40, 8, 12, 7
11 31, 27, 3, 12　**12** 24, 6, 21, 7　**13** 4, 36, 28, 31　**14** 39, 32, 8, 40

時間の筆算

1 5時間50分　**2** 3時間4分　**3** 9時間49分　**4** 13時間51分　**5** 9時間20分　**6** 14時間14分
7 10時間51分　**8** 6時間19分　**9** 32時間33分　**10** 43時間49分　**11** 18時間33分　**12** 27時間1分
13 34時間57分　**14** 31時間40分　**15** 4時間10分　**16** 4時間40分　**17** 2時間50分　**18** 10時間10分
19 9時間20分　**20** 2時間30分　**21** 8時間40分

2日　ツリー足し算（答えは左→右、上→下の順）

1 9、11、20　**2** 5、10、15　**3** 9、17　**4** 12、16、9　**5** 27、30、7　**6** 7、18　**7** 9、29
8 13、9、22　**9** 2、7、2　**10** 2、4、2　**11** 12、4、16　**12** 5、9　**13** 30、33　**14** 8、28、9
15 5、27、8

筆算（途中の計算がある問題は上→下の順）

1 116　**2** 35　**3** 154、44、594　**4** 47　**5** 7　**6** 72、252、2592　**7** 66　**8** 21
9 78、52、598　**10** 143　**11** 46　**12** 531、236、2891　**13** 109　**14** 72　**15** 102、34、442　**16** 61
17 8　**18** 47、423、4277　**19** 81　**20** 40　**21** 496、310、3596　**22** 106　**23** 41　**24** 64、128、1344

3日　長方形の面積

1 3×9＝27　**2** 32　**3** 14　**4** 40　**5** 8　**6** 10　**7** 16　**8** 36　**9** 20　**10** 63　**11** 21　**12** 48

2つの数と3つの数の計算

1 36　**2** 6　**3** 14　**4** 38　**5** 25　**6** 11　**7** 30　**8** 56　**9** 44　**10** 36　**11** 10　**12** 38　**13** 27
14 48　**15** 18　**16** 41　**17** 1　**18** 15　**19** 6　**20** 2　**21** 6　**22** 28　**23** 4　**24** 29　**25** 18　**26** 24　**27** 23
28 34　**29** 14　**30** 2　**31** 32　**32** 14　**33** 3　**34** 2　**35** 16　**36** 5　**37** 27　**38** 30　**39** 18

4日　時間の計算

1 70秒　**2** 420分　**3** 126秒　**4** 88秒　**5** 100分　**6** 300秒　**7** 140分　**8** 362秒　**9** 195分
10 72時間　**11** 137分　**12** 30時間　**13** 49時間　**14** 5時間35分　**15** 6時間24分　**16** 20時間1分
17 13時間46分　**18** 21時間10分　**19** 2時間7分　**20** 18時間20分　**21** 23時間0分　**22** 18時間48分
23 9時間15分　**24** 2時間2分　**25** 17時間55分　**26** 10時間59分

マス計算（足し算10〜30マス）

1

+	2	8	1	0	4	7	3	9	5	6
7	9	15	8	7	11	14	10	16	12	13

【解き方】7＋2の答え

2

+	4	5	8	3	6	0	9	1	7	2
8	12	13	16	11	14	8	17	9	15	10

3

+	0	4	9	1	7	8	6	5	3	2
5	5	9	14	6	12	13	11	10	8	7
6	6	10	15	7	13	14	12	11	9	8

4

+	10	16	13	14	17	11	12	15	19	18
2	12	18	15	16	19	13	14	17	21	20
1	11	17	14	15	18	12	13	16	20	19
9	19	25	22	23	26	20	21	24	28	27

5

+	12	19	10	16	14	11	13	17	15	18
4	16	23	14	20	18	15	17	21	19	22
3	15	22	13	19	17	14	16	20	18	21
5	17	24	15	21	19	16	18	22	20	23

5日　1つの穴あき計算

1 14　**2** 7　**3** 6　**4** 2　**5** 9　**6** 5　**7** 2　**8** 4　**9** 6　**10** 10　**11** 8　**12** 5　**13** 8　**14** 2　**15** 8
16 13　**17** 5　**18** 1　**19** 3　**20** 5　**21** 2　**22** 3　**23** 4　**24** 2　**25** 9　**26** 7　**27** 7　**28** 2　**29** 8　**30** 3　**31** 0
32 4　**33** 3　**34** 9　**35** 3　**36** 32　**37** 8　**38** 5　**39** 0

3つの穴あき計算（答えは左→右の順）

1 9、9、1　**2** 5、3、11　**3** 3、8、10　**4** 14、6、15　**5** 27、5、3　**6** 17、13、19　**7** 16、4、7
8 24、4、15　**9** 1、1、7　**10** 4、4、8　**11** 7、5、7　**12** 17、7、6　**13** 26、20、24　**14** 42、7、5
15 26、9、6　**16** 3、3、27　**17** 16、9、4　**18** 42、8、44　**19** 12、6、4　**20** 20、5、13　**21** 6、2、3
22 10、7、14　**23** 18、2、12　**24** 9、3、4　**25** 25、3、5　**26** 12、3、2

6日　魔方陣

1

6	7	2
1	5	9
8	3	4

2

4	3	8
9	5	1
2	7	6

3

6	1	8
7	5	3
2	9	4

4

4	9	2
3	5	7
8	1	6

5

2	7	6
9	5	1
4	3	8

6

11	12	7
6	10	14
13	8	9

7

9	10	5
4	8	12
11	6	7

8

8	9	4
3	7	11
10	5	6

9

5	10	3
4	6	8
9	2	7

10

10	15	8
9	11	13
14	7	12

11

17	10	15
12	14	16
13	18	11

■**時間の計算**

■1 7時間3分　■2 39時間16分　■3 14時間24分　■4 15時間13分　■5 35時間8分　■6 1時間12分
■7 9時間19分　■8 28時間28分　■9 44時間49分　■10 2時間3分　■11 11時間55分　■12 27時間22分
■13 20時間19分　■14 22時間10分　■15 42時間12分　■16 38時間52分　■17 18時間20分　■18 27時間3分
■19 13時間56分　■20 32時間51分　■21 48時間53分　■22 0時間22分　■23 5時間24分　■24 36時間30分
■25 22時間58分　■26 41時間22分

7日　マス足し算

■1

4	8	9	1	6	11	0	10	7	2
8	4	3	11	6	1	12	2	5	10

■2

14	9	5	17	18	6	4	21	16	15
7	12	16	4	3	15	17	0	5	6

■3

1	29	8	26	23	34	35	11	5	3
35	7	28	10	13	2	1	25	31	33

■4

24	15	27	11	20	13	21	3	22	17
5	14	2	18	9	16	8	26	7	12

■5

9	12	2	4	11	15	13	7	1	8
8	5	15	13	6	2	4	10	16	9

■6

6	16	4	2	22	8	14	5	24	21
19	9	21	23	3	17	11	20	1	4

■7

22	25	14	5	23	12	26	8	16	28
9	6	17	26	8	19	5	23	15	3

■**ツリー足し算（答えは左→右、上→下の順）**

■1 5、11、16　■2 16、18　■3 17、10、27　■4 32、37、43　■5 18、21、4　■6 6、12
■7 7、14、21　■8 5、10　■9 8、11、4　■10 3、9、6　■11 8、10、18　■12 13、9、22　■13 7、12
■14 27、29、7　■15 2、22、2

8日　筆算（途中の計算がある問題は上→下の順）

■1 69　■2 42　■3 11、99、1001　■4 79　■5 8　■6 92、161、1702　■7 99　■8 45
■9 156、156、1716　■10 123　■11 23　■12 112、70、812　■13 111　■14 50　■15 37、222、2257
■16 113　■17 50　■18 156、78、936　■19 117　■20 3　■21 62、93、992　■22 23　■23 16
■24 496、434、4836

■**立体の体積**

■1 6×2×5＝60　■2 3×3×3＝27　■3 6×6×4＝144　■4 2×3×6＝36　■5 3×3×8＝72
■6 2×4×6＝48　■7 3×5×3＝45　■8 5×5×2＝50　■9 4×4×2＝32　■10 2×7×7＝98
■11 7×6×2＝84　■12 3×5×7＝105

9日　しりとり計算（答えは左→右の順）

■1 18、9、3、15　■2 42、6、37、29　■3 27、30、24、8　■4 18、9、36、31　■5 40、5、32、8
■6 9、27、18、6　■7 5、20、12、17　■8 13、18、3、12　■9 32、4、20、28　■10 9、45、36、6
■11 16、7、0、4　■12 29、34、27、9　■13 42、7、4、36　■14 17、13、20、4

■積み木の体積
1 12＋16＝28　**2** 4＋6＋2＝12　**3** 4＋6＝10　**4** 8＋12＋2＝22
5 2＋12＋2＝16　**6** 8＋4＋12＝24　**7** 2＋16＋6＝24　**8** 12＋4＋12＝28

10日　1つの穴あき計算
1 8　**2** 1　**3** 9　**4** 10　**5** 8　**6** 14　**7** 2　**8** 21　**9** 3　**10** 9　**11** 7　**12** 8　**13** 45　**14** 3　**15** 3
16 40　**17** 2　**18** 6　**19** 9　**20** 3　**21** 2　**22** 5　**23** 7　**24** 5　**25** 7　**26** 15　**27** 5　**28** 8　**29** 2　**30** 2
31 14　**32** 6　**33** 3　**34** 5　**35** 3　**36** 4　**37** 2　**38** 1　**39** 9

■3つの穴あき計算（答えは左→右の順）
1 6、3、12　**2** 30、8、4　**3** 18、2、23　**4** 9、2、36　**5** 14、9、6　**6** 23、2、17　**7** 12、4、18
8 23、9、18　**9** 16、10、4　**10** 36、2、29　**11** 1、9、7　**12** 30、10、9　**13** 0、0、2　**14** 10、2、2
15 8、1、16　**16** 10、2、4　**17** 12、6、18　**18** 35、2、26　**19** 9、9、9　**20** 4、1、10　**21** 15、4、3
22 22、9、4　**23** 18、4、6　**24** 6、7、2　**25** 24、8、15　**26** 16、7、4

11日　マス計算（足し算10〜30マス）

1

+	5	6	3	1	7	9	0	8	4	2
1	6	7	4	2	8	10	1	9	5	3

【解き方】1＋5の答え

2

+	8	0	2	6	9	4	3	5	1	7
7	15	7	9	13	16	11	10	12	8	14

3

+	14	10	16	11	19	18	17	12	13	15
9	23	19	25	20	28	27	26	21	22	24
2	16	12	18	13	21	20	19	14	15	17

4

+	21	22	20	29	23	24	26	28	25	27
3	24	25	23	32	26	27	29	31	28	30
8	29	30	28	37	31	32	34	36	33	35
6	27	28	26	35	29	30	32	34	31	33

5

+	38	31	32	33	34	30	36	39	35	37
4	42	35	36	37	38	34	40	43	39	41
7	45	38	39	40	41	37	43	46	42	44
5	43	36	37	38	39	35	41	44	40	42

■魔方陣

1

12	5	10
7	9	11
8	13	6

2

10	11	6
5	9	13
12	7	8

3

8	7	12
13	9	5
6	11	10

4

8	13	6
7	9	11
12	5	10

5

10	5	12
11	9	7
6	13	8

6

6	11	10
13	9	5
8	7	12

7

7	2	9
8	6	4
3	10	5

8

7	12	5
6	8	10
11	4	9

9

13	14	9
8	12	16
15	10	11

10

9	8	13
14	10	6
7	12	11

11

4	3	8
9	5	1
2	7	6

12

10	15	14
17	13	9
12	11	16

12日　2つの数と3つの数の計算

❶39　❷30　❸7　❹30　❺25　❻20　❼13　❽5　❾24　❿9　⓫11　⓬12　⓭2　⓮19
⓯63　⓰38　⓱33　⓲18　⓳5　⓴18　㉑17　㉒49　㉓5　㉔33　㉕18　㉖7　㉗22　㉘6
㉙21　㉚6　㉛11　㉜32　㉝33　㉞9　㉟29　㊱11　㊲22　㊳5　㊴17

■穴あき筆算（答えは上→下の順）

❶6、2　❷9、3　❸5、9　❹6、5　❺5、0　❻9、9　❼0、3　❽6、8　❾4、1　❿3、9
⓫1、7　⓬7、5　⓭1、3　⓮5、3　⓯0、1　⓰6、2　⓱5、2　⓲2、3　⓳5、8　⓴0、9
㉑7、6　㉒9、2　㉓7、9　㉔5、2　㉕4、6　㉖9、3　㉗9、3　㉘8、5

13日　ツリー足し算（答えは左→右、上→下の順）

❶14、7、21　❷2、19　❸7、6、13　❹14、16、24　❺24、31、2　❻7、13　❼8、14、22
❽15、3　❾26、29、35　❿6、2、3　⓫8、11、19　⓬8、13、21　⓭6、18　⓮11、14、5
⓯6、16、9

■筆算（途中の計算がある問題は上→下の順）

❶98　❷30　❸351、39、741　❹170　❺34　❻48、24、288　❼51　❽29
❾513、228、2793　❿57　⓫27　⓬76、266、2736　⓭140　⓮30　⓯147、105、1197
⓰109　⓱10　⓲48、108、1128　⓳102　⓴1　㉑165、55、715　㉒69　㉓2
㉔154、154、1694

14日　時間の計算

❶120秒　❷71分　❸210秒　❹315分　❺99秒　❻240分　❼146秒　❽187分　❾24時間
❿119秒　⓫107分　⓬60時間　⓭41時間　⓮49時間14分　⓯29時間54分　⓰10時間4分
⓱42時間49分　⓲24時間6分　⓳11時間26分　⓴3時間4分　㉑22時間18分　㉒7時間14分
㉓13時間8分　㉔27時間21分　㉕15時間22分　㉖33時間59分

■マス引き算

❶
38	33	21	35	26	9	23	27	28	19
34	29	17	31	22	5	19	23	24	15

❷
33	38	28	35	26	31	37	29	9	34
28	33	23	30	21	26	32	24	4	29

❸
28	12	13	32	11	27	14	36	38	26
19	3	4	23	2	18	5	27	29	17

❹
34	24	14	35	23	27	16	18	13	11
32	22	12	33	21	25	14	16	11	9

❺
7	27	29	31	32	21	22	6	10	39
1	21	23	25	26	15	16	0	4	33

❻
27	30	29	31	15	26	32	38	14	11
20	23	22	24	8	19	25	31	7	4

❼
15	34	27	35	26	11	21	22	17	16
12	31	24	32	23	8	18	19	14	13

15日 1つの穴あき計算

1 9 **2** 7 **3** 9 **4** 30 **5** 4 **6** 4 **7** 4 **8** 7 **9** 2 **10** 5 **11** 4 **12** 4 **13** 5 **14** 5 **15** 56 **16** 7
17 7 **18** 2 **19** 72 **20** 4 **21** 1 **22** 6 **23** 36 **24** 9 **25** 2 **26** 21 **27** 7 **28** 5 **29** 9 **30** 3 **31** 8
32 7 **33** 23 **34** 5 **35** 5 **36** 17 **37** 14 **38** 8 **39** 11

3つの穴あき計算（答えは左→右の順）

1 18、9、19 **2** 4、8、24 **3** 32、6、24 **4** 28、3、4 **5** 15、6、23 **6** 32、8、8 **7** 2、3、8
8 3、3、11 **9** 30、6、7 **10** 10、5、18 **11** 7、6、13 **12** 2、5、1 **13** 24、5、25 **14** 36、3、8
15 8、4、13 **16** 14、2、16 **17** 27、3、35 **18** 32、5、9 **19** 27、9、6 **20** 8、8、24 **21** 12、5、4
22 16、4、24 **23** 9、3、14 **24** 4、8、3 **25** 28、9、31 **26** 14、7、19

16日 マス足し算

1

27	25	24	5	0	32	4	8	30	3
6	8	9	28	33	1	29	25	3	30

2

19	17	9	3	18	23	12	1	7	20
6	8	16	22	7	2	13	24	18	5

3

27	30	13	6	19	3	11	7	9	24
4	1	18	25	12	28	20	24	22	7

4

2	5	12	7	3	9	1	11	8	6
13	10	3	8	12	6	14	4	7	9

5

7	6	9	10	16	1	5	15	18	12
11	12	9	8	2	17	13	3	0	6

6

20	3	9	21	18	17	15	11	5	23
3	20	14	2	5	6	8	12	18	0

7

34	16	37	14	36	27	32	25	6	4
4	22	1	24	2	11	6	13	32	34

時間の筆算

1 9時間35分 **2** 2時間41分 **3** 28時間16分 **4** 8時間41分 **5** 27時間51分 **6** 29時間8分
7 16時間40分 **8** 30時間10分 **9** 48時間25分 **10** 12時間8分 **11** 45時間30分 **12** 29時間39分
13 35時間4分 **14** 34時間12分 **15** 1時間54分 **16** 27時間34分 **17** 17時間17分 **18** 27時間49分
19 11時間44分 **20** 46時間58分 **21** 13時間9分

17日 魔方陣

1

9	2	7
4	6	8
5	10	3

2

7	8	3
2	6	10
9	4	5

3

5	4	9
10	6	2
3	8	7

4

7	2	9
8	6	4
3	10	5

5

5	10	3
4	6	8
9	2	7

6

3	8	7
10	6	2
5	4	9

7

8	13	6
7	9	11
12	5	10

8

8	3	10
9	7	5
4	11	6

9

9	4	11
10	8	6
5	12	7

10

15	20	13
14	16	18
19	12	17

11

12	17	16
19	15	11
14	13	18

12

7	12	11
14	10	6
9	8	13

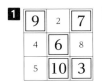

2つの数と3つの数の計算

1 29　2 34　3 54　4 39　5 9　6 25　7 1　8 44　9 34　10 41　11 3　12 8　13 4　14 1
15 72　16 13　17 9　18 23　19 35　20 35　21 1　22 11　23 19　24 3　25 22　26 13　27 13
28 33　29 13　30 35　31 21　32 28　33 12　34 12　35 6　36 23　37 5　38 30　39 18

18日　ツリー足し算(答えは左→右、上→下の順)

1 12、8、20　2 6、36　3 9、12、21　4 9、18、23　5 14、17、2　6 5、15　7 15、9、24
8 5、36　9 32、38、46　10 9、3、3　11 7、10、17　12 10、15　13 27、29　14 9、13、9
15 9、20、5

長方形の面積

1 5×3＝15　2 28　3 24　4 18　5 54　6 40　7 36　8 6　9 10　10 24　11 18　12 54

19日　穴あき筆算(答えは上→下の順)

1 2、8　2 4、2　3 7、9　4 0、2　5 8、5　6 1、2　7 7、7　8 7、3　9 7、3　10 4、9
11 5、7　12 8、9　13 0、1　14 1、6　15 6、4　16 6、6　17 4、8　18 0、8　19 8、1　20 0、2
21 2、5　22 8、4　23 0、1　24 4、2　25 4、5　26 0、8　27 1、3　28 6、9

しりとり計算(答えは左→右の順)

1 7、33、27、9　2 6、12、4、13　3 21、15、24、3　4 33、25、5、35　5 9、27、18、22
6 16、8、12、3　7 35、27、36、6　8 2、25、17、23　9 12、15、7、35　10 26、32、8、5
11 14、7、42、34　12 32、28、4、20　13 33、24、8、48　14 12、9、18、24

20日　1つの穴あき計算

1 4　2 9　3 4　4 6　5 36　6 5　7 4　8 9　9 15　10 24　11 14　12 11　13 6　14 11　15 15
16 8　17 7　18 15　19 7　20 27　21 3　22 20　23 4　24 5　25 40　26 7　27 12　28 14　29 6　30 6
31 2　32 8　33 5　34 4　35 8　36 6　37 9　38 7　39 4

3つの穴あき計算(答えは左→右の順)

1 32、4、6　2 29、8、28　3 6、5、30　4 15、5、24　5 30、5、8　6 0、0、5　7 16、3、4
8 28、9、4　9 13、12、22　10 6、4、2　11 7、2、21　12 27、6、6　13 36、6、4　14 2、7、10
15 25、5、6　16 30、9、6　17 24、6、6　18 8、3、2　19 25、6、5　20 13、5、4　21 10、5、3
22 6、3、1　23 12、6、19　24 24、6、26　25 15、2、7　26 8、4、17

21日　ツリー足し算(答えは左→右、上→下の順)

1 11、9、20　2 5、21　3 10、23　4 6、11、20　5 18、24、3　6 4、11　7 11、6、17
8 6、26　9 29、38、47　10 3、4、7　11 11、8、19　12 5、7、12　13 12、13、25
14 12、20、8　15 2、28、6

マス計算（足し算10～30マス）

1

+	4	6	0	8	1	7	9	5	2	3
3	7	9	3	11	4	10	12	8	5	6

【解き方】3＋4の答え

2

+	2	1	0	3	4	5	7	6	8	9
1	3	2	1	4	5	6	8	7	9	10

3

+	12	19	17	13	16	11	15	18	14	10
9	21	28	26	22	25	20	24	27	23	19
5	17	24	22	18	21	16	20	23	19	15

4

+	5	27	19	22	4	20	13	26	11	8
2	7	29	21	24	6	22	15	28	13	10
4	9	31	23	26	8	24	17	30	15	12
7	12	34	26	29	11	27	20	33	18	15

5

+	30	9	15	21	38	17	24	33	6	12
5	35	14	20	26	43	22	29	38	11	17
8	38	17	23	29	46	25	32	41	14	20
6	36	15	21	27	44	23	30	39	12	18

22日 筆算（途中の計算がある問題は上→下の順）

1 50 **2** 26 **3** 295、472、5015 **4** 114 **5** 49 **6** 158、158、1738 **7** 111 **8** 8
9 192、288、3072 **10** 120 **11** 36 **12** 81、162、1701 **13** 92 **14** 21 **15** 308、88、1188
16 118 **17** 72 **18** 264、66、924 **19** 88 **20** 19 **21** 112、14、252 **22** 89 **23** 8 **24** 720、630、7020

三角形の面積

1 2、3、3 **2** 18 **3** 36 **4** 12 **5** 6 **6** 12 **7** 3 **8** 32 **9** 6 **10** 12 **11** 18 **12** 8

23日 マス足し算

1

5	6	18	22	26	2	13	21	7	3
22	21	9	5	1	25	14	6	20	24

2

21	4	23	2	15	13	24	16	9	7
3	20	1	22	9	11	0	8	15	17

3

5	10	2	6	0	7	3	1	9	8
6	1	9	5	11	4	8	10	2	3

4

1	35	29	12	3	31	5	21	8	33
37	3	9	26	35	7	33	17	30	5

5

16	8	7	4	1	12	14	19	6	2
7	15	16	19	22	11	9	4	17	21

6

3	5	9	16	15	13	14	12	8	10
13	11	7	0	1	3	2	4	8	6

7

2	9	30	28	4	12	22	5	26	32
33	26	5	7	31	23	13	30	9	3

魔方陣

1

11	4	9
6	8	10
7	12	5

2

9	10	5
4	8	12
11	6	7

3

7	6	11
12	8	4
5	10	9

4

9	4	11
10	8	6
5	12	7

5

7	12	5
6	8	10
11	4	9

6

5	10	9
12	8	4
7	6	11

7

6	7	2
1	5	9
8	3	4

8

6	5	10
11	7	3
4	9	8

9

14	13	18
19	15	11
12	17	16

10

10	15	8
9	11	13
14	7	12

11

10	11	6
5	9	13
12	7	8

12

11	16	15
18	14	10
13	12	17

24日 2つの数と3つの数の計算

1 42 **2** 27 **3** 1 **4** 17 **5** 14 **6** 20 **7** 41 **8** 8 **9** 8 **10** 72 **11** 9 **12** 25 **13** 16
14 0 **15** 38 **16** 7 **17** 27 **18** 40 **19** 15 **20** 24 **21** 3 **22** 4 **23** 14 **24** 9 **25** 4 **26** 22 **27** 39
28 12 **29** 16 **30** 9 **31** 33 **32** 8 **33** 28 **34** 8 **35** 33 **36** 4 **37** 2 **38** 38 **39** 8

マス引き算

1

30	36	16	15	6	27	23	10	20	7
25	31	11	10	1	22	18	5	15	2

2

3	12	38	14	6	32	7	37	8	20
0	9	35	11	3	29	4	34	5	17

3

36	21	16	1	37	9	23	27	14	38
35	20	15	0	36	8	22	26	13	37

4

29	15	30	3	36	12	9	2	32	10
27	13	28	1	34	10	7	0	30	8

5

36	14	20	25	7	32	27	29	8	16
32	10	16	21	3	28	23	25	4	12

6

29	37	20	21	24	17	23	15	19	34
20	28	11	12	15	8	14	6	10	25

7

9	8	33	25	13	26	11	35	27	38
1	0	25	17	5	18	3	27	19	30

25日 時間の計算

1 120時間 **2** 94秒 **3** 60分 **4** 323秒 **5** 138分 **6** 140秒 **7** 191分 **8** 480秒 **9** 84分
10 72秒 **11** 200分 **12** 37時間 **13** 55時間 **14** 29時間45分 **15** 12時間33分 **16** 15時間32分
17 17時間30分 **18** 15時間36分 **19** 18時間0分 **20** 2時間55分 **21** 28時間41分 **22** 32時間58分
23 24時間2分 **24** 22時間3分 **25** 5時間40分 **26** 13時間56分

魔方陣

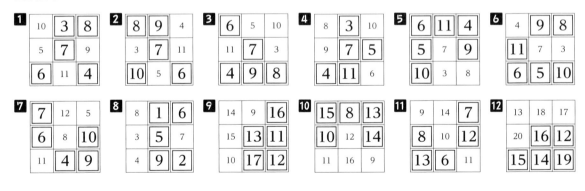

1

10	3	8
5	7	9
6	11	4

2

8	9	4
3	7	11
10	5	6

3

6	5	10
11	7	3
4	9	8

4

8	3	10
9	7	5
4	11	6

5

6	11	4
5	7	9
10	3	8

6

4	9	8
11	7	3
6	5	10

7

7	12	5
6	8	10
11	4	9

8

8	1	6
3	5	7
4	9	2

9

14	9	16
15	13	11
10	17	12

10

15	8	13
10	12	14
11	16	9

11

9	14	7
8	10	12
13	6	11

12

13	18	17
20	16	12
15	14	19

26日 1つの穴あき計算

1 6 **2** 5 **3** 12 **4** 8 **5** 2 **6** 5 **7** 8 **8** 5 **9** 2 **10** 5 **11** 1 **12** 6 **13** 16 **14** 8 **15** 9 **16** 9
17 7 **18** 27 **19** 1 **20** 5 **21** 4 **22** 5 **23** 3 **24** 5 **25** 10 **26** 1 **27** 3 **28** 4 **29** 19 **30** 2 **31** 3
32 21 **33** 8 **34** 5 **35** 6 **36** 4 **37** 6 **38** 15 **39** 4

3つの穴あき計算(答えは左→右の順)

1 8、1、6 **2** 3、2、21 **3** 15、8、3 **4** 17、16、20 **5** 35、3、4 **6** 3、6、9 **7** 30、6、5
8 23、4、16 **9** 45、5、6 **10** 10、2、7 **11** 29、5、27 **12** 14、7、19 **13** 11、7、6 **14** 3、4、6
15 27、7、23 **16** 4、3、11 **17** 12、9、2 **18** 6、3、2 **19** 21、9、7 **20** 8、2、13 **21** 15、9、5
22 9、2、7 **23** 24、8、15 **24** 32、4、4 **25** 6、1、5 **26** 18、3、2

27日　しりとり計算（答えは左→右の順）

1 16、22、21、3　**2** 18、27、9、14　**3** 9、3、19、12　**4** 8、25、5、8　**5** 36、6、12、19
6 3、16、9、18　**7** 20、4、32、38　**8** 17、12、14、7　**9** 8、32、28、7　**10** 18、9、6、42
11 8、24、18、9　**12** 30、5、40、35　**13** 8、16、21、7　**14** 6、9、9、45

ツリー足し算（答えは左→右、上→下の順）

1 7、11、18　**2** 16、23　**3** 14、8、22　**4** 9、11、16　**5** 19、27、9　**6** 8、17　**7** 5、8、13
8 7、32　**9** 27、31、33　**10** 8、2、8　**11** 11、5、16　**12** 9、8、17　**13** 6、14　**14** 9、16、8
15 4、23、4

28日　2つの数と3つの数の計算

1 37　**2** 4　**3** 41　**4** 25　**5** 7　**6** 31　**7** 16　**8** 9　**9** 10　**10** 3　**11** 27　**12** 21　**13** 23
14 34　**15** 14　**16** 29　**17** 28　**18** 16　**19** 21　**20** 36　**21** 20　**22** 7　**23** 29　**24** 2　**25** 10　**26** 20
27 20　**28** 8　**29** 17　**30** 12　**31** 23　**32** 15　**33** 24　**34** 34　**35** 19　**36** 5　**37** 45　**38** 25　**39** 6

マス計算（足し算10～30マス）

1

+	5	8	0	3	6	2	9	7	4	1
2	7	10	2	5	8	4	11	9	6	3

【解き方】2＋5の答え

2

+	9	0	4	2	5	8	7	3	6	1
8	17	8	12	10	13	16	15	11	14	9

3

+	14	17	15	12	19	16	18	11	13	10
9	23	26	24	21	28	25	27	20	22	19
1	15	18	16	13	20	17	19	12	14	11

4

+	21	16	5	23	10	4	19	27	2	28
5	26	21	10	28	15	9	24	32	7	33
7	28	23	12	30	17	11	26	34	9	35
3	24	19	8	26	13	7	22	30	5	31

5

+	11	36	25	8	39	20	13	7	14	32
4	15	40	29	12	43	24	17	11	18	36
6	17	42	31	14	45	26	19	13	20	38
5	16	41	30	13	44	25	18	12	19	37

29日　時間の計算

1 35時間23分　**2** 33時間53分　**3** 1時間50分　**4** 26時間19分　**5** 38時間25分　**6** 16時間59分
7 13時間28分　**8** 32時間14分　**9** 12時間18分　**10** 41時間51分　**11** 44時間33分　**12** 5時間3分
13 21時間0分　**14** 13時間43分　**15** 22時間6分　**16** 36時間27分　**17** 29時間23分　**18** 20時間54分
19 17時間51分　**20** 46時間22分　**21** 28時間59分　**22** 24時間45分　**23** 1時間0分　**24** 7時間37分
25 49時間20分　**26** 7時間46分

筆算（途中の計算がある問題は上→下の順）

1 87　**2** 50　**3** 100、60、700　**4** 53　**5** 5　**6** 539、462、5159　**7** 100　**8** 67
9 128、448、4608　**10** 146　**11** 8　**12** 344、86、1204　**13** 99　**14** 33　**15** 696、261、3306
16 126　**17** 20　**18** 480、384、4320　**19** 90　**20** 78　**21** 152、38、532　**22** 192　**23** 12
24 190、285、3040

30日 面積クイズ

1 12 **2** 8 **3** 13 **4** 9 **5** 4 **6** 7 **7** 10 **8** 11 **9** 6 **10** 14 **11** 5 **12** 15

■2つの数と3つの数の計算

1 12 **2** 25 **3** 6 **4** 35 **5** 14 **6** 15 **7** 30 **8** 24 **9** 6 **10** 8 **11** 46 **12** 15 **13** 22
14 7 **15** 36 **16** 22 **17** 15 **18** 37 **19** 12 **20** 8 **21** 14 **22** 0 **23** 40 **24** 22 **25** 23 **26** 38
27 8 **28** 21 **29** 20 **30** 25 **31** 1 **32** 19 **33** 19 **34** 12 **35** 18 **36** 5 **37** 10 **38** 24 **39** 18

31日 平行四辺形の面積

1 7×5＝35 **2** 24 **3** 45 **4** 8 **5** 20 **6** 27 **7** 15 **8** 12 **9** 32 **10** 12 **11** 42 **12** 18

■3つの穴あき計算（答えは左→右の順）

1 4、5、36 **2** 8、4、4 **3** 21、7、18 **4** 22、7、8 **5** 6、4、36 **6** 19、11、23 **7** 15、3、21
8 22、3、24 **9** 4、7、7 **10** 18、8、13 **11** 16、8、4 **12** 7、2、15 **13** 1、8、3 **14** 20、7、9
15 19、5、13 **16** 35、4、5 **17** 29、6、24 **18** 19、10、23 **19** 16、5、2
20 20、4、3 **21** 5、8、30 **22** 10、5、16 **23** 24、9、6 **24** 18、4、20 **25** 9、3、4 **26** 12、7、18

32日 ツリー足し算（答えは左→右、上→下の順）

1 7、9、16 **2** 3、25 **3** 9、8、17 **4** 10、13、21 **5** 17、25、7 **6** 7、14
7 9、13、22 **8** 10、23 **9** 24、27、36 **10** 7、3、5 **11** 8、5、13 **12** 9、16 **13** 8、16
14 7、16、8 **15** 5、25、6

■立体の体積

1 8×3×2＝48 **2** 6×2×8＝96 **3** 3×3×6＝54 **4** 2×5×2＝20 **5** 2×5×4＝40
6 5×3×3＝45 **7** 9×2×4＝72 **8** 4×4×4＝64 **9** 6×5×2＝60 **10** 2×5×9＝90
11 2×3×5＝30 **12** 5×5×3＝75

33日 2つの数と3つの数の計算

1 10 **2** 44 **3** 8 **4** 2 **5** 24 **6** 13 **7** 18 **8** 15 **9** 22 **10** 33 **11** 9 **12** 27 **13** 44 **14** 31
15 23 **16** 36 **17** 25 **18** 12 **19** 6 **20** 5 **21** 33 **22** 23 **23** 8 **24** 8 **25** 11 **26** 42 **27** 81 **28** 10
29 34 **30** 24 **31** 35 **32** 4 **33** 13 **34** 39 **35** 5 **36** 40 **37** 19 **38** 5 **39** 17

■穴あき筆算（答えは上→下の順）

1 8、5 **2** 6、9 **3** 8、0 **4** 0、4 **5** 7、8 **6** 6、6 **7** 5、6 **8** 6、4 **9** 0、2 **10** 2、4
11 9、4 **12** 5、3 **13** 0、8 **14** 4、2 **15** 4、6 **16** 5、6 **17** 1、0 **18** 4、1 **19** 2、1 **20** 0、5
21 5、1 **22** 0、3 **23** 6、0 **24** 3、5 **25** 6、9 **26** 6、1 **27** 9、9 **28** 7、5

34日 魔方陣

1

11	4	9
6	8	10
7	12	5

2

9	10	5
4	8	12
11	6	7

3

7	6	11
12	8	4
5	10	9

4

9	4	11
10	8	6
5	12	7

5

7	12	5
6	8	10
11	4	9

6

5	10	9
12	8	4
7	6	11

7

14	15	10
9	13	17
16	11	12

8

11	12	7
6	10	14
13	8	9

9

6	1	8
7	5	3
2	9	4

10

3	8	7
10	6	2
5	4	9

11

16	11	18
17	15	13
12	19	14

12

8	9	4
3	7	11
10	5	6

3つの穴あき計算（答えは左→右の順）

1 8、7、4　2 29、3、8　3 25、5、16　4 17、4、22　5 20、9、26　6 35、7、5　7 3、9、6
8 34、4、3　9 24、6、30　10 12、2、2　11 18、3、19　12 2、2、12　13 7、9、2　14 12、3、9
15 28、4、19　16 13、8、9　17 30、2、5　18 18、7、2　19 15、7、17　20 4、1、6　21 14、7、9
22 24、1、8　23 8、8、5　24 30、6、22　25 15、3、22　26 9、8、14

35日 マス足し算

1

11	15	2	9	4	1	7	16	0	3
8	4	17	10	15	18	12	3	19	16

2

8	15	2	29	19	31	4	26	21	3
24	17	30	3	13	1	28	6	11	29

3

8	9	19	5	18	0	6	14	10	7
14	13	3	17	4	22	16	8	12	15

4

32	31	8	1	16	3	33	5	7	23
5	6	29	36	21	34	4	32	30	14

5

11	5	2	1	4	14	6	8	7	3
3	9	12	13	10	0	8	6	7	11

6

7	18	33	8	29	15	34	21	27	6
28	17	2	27	6	20	1	14	8	29

7

19	25	24	12	8	4	23	9	16	1
8	2	3	15	19	23	4	18	11	26

時間の筆算

1 12時間19分　2 17時間40分　3 25時間41分　4 42時間2分　5 26時間5分
6 28時間9分　7 7時間40分　8 29時間39分　9 4時間44分　10 14時間27分
11 31時間10分　12 20時間54分　13 3時間51分　14 35時間11分　15 18時間37分
16 41時間25分　17 43時間24分　18 25時間46分　19 7時間16分　20 9時間44分
21 39時間44分

36日 三角形の面積

1 4、8、16　2 9　3 24　4 27　5 7　6 10　7 6　8 8　9 21　10 14　11 36　12 28

穴あき筆算（答えは上→下の順）

1 3、1　2 6、6　3 8、5　4 7、0　5 6、8　6 7、2　7 9、4　8 6、3　9 8、5　10 6、8
11 7、3　12 9、3　13 4、8　14 8、8　15 3、1　16 2、5　17 5、2　18 4、0　19 4、3　20 8、3
21 2、5　22 6、1　23 4、6　24 0、1　25 1、3　26 9、5　27 5、8　28 3、2

37日　しりとり計算（答えは左→右の順）

1 19、13、21、7　**2** 20、11、2、10　**3** 21、3、24、30　**4** 5、35、31、34　**5** 15、3、25、19
6 8、36、9、14　**7** 30、5、32、4　**8** 29、35、7、14　**9** 15、5、22、29　**10** 4、9、15、3
11 29、25、5、30　**12** 20、14、2、16　**13** 4、3、24、33　**14** 45、9、18、24

■3つの穴あき計算（答えは左→右の順）

1 10、2、2　**2** 30、7、22　**3** 35、7、27　**4** 1、8、5　**5** 21、8、15　**6** 4、2、32　**7** 3、9、1
8 18、2、6　**9** 2、7、14　**10** 21、9、7　**11** 24、9、28　**12** 6、8、54　**13** 4、4、12　**14** 11、8、20
15 20、3、1　**16** 15、5、17　**17** 27、7、9　**18** 30、6、24　**19** 7、3、42　**20** 17、3、11　**21** 8、4、13
22 12、6、3　**23** 16、4、4　**24** 10、13、8　**25** 9、6、3　**26** 18、2、22

38日　マス計算（足し算10〜30マス）

1

+	18	5	10	26	36	1	27	6	13	30
3	21	8	13	29	39	4	30	9	16	33

【解き方】3＋18の答え

2

+	21	35	17	29	11	8	3	4	31	15
2	23	37	19	31	13	10	5	6	33	17

3

+	7	14	16	0	23	24	34	9	38	19
1	8	15	17	1	24	25	35	10	39	20
8	15	22	24	8	31	32	42	17	46	27

4

+	14	0	32	12	2	25	28	15	5	33
4	18	4	36	16	6	29	32	19	9	37
6	20	6	38	18	8	31	34	21	11	39
5	19	5	37	17	7	30	33	20	10	38

5

+	9	37	16	2	22	39	13	1	20	18
9	18	46	25	11	31	48	22	10	29	27
7	16	44	23	9	29	46	20	8	27	25
6	15	43	22	8	28	45	19	7	26	24

■ツリー足し算（答えは左→右、上→下の順）

1 9、15、24　**2** 3、19　**3** 11、9、20　**4** 9、18、27　**5** 22、30、8　**6** 9、18　**7** 8、9、17
8 25、32　**9** 36、39、44　**10** 6、3、8　**11** 9、13、22　**12** 13、21　**13** 12、15　**14** 7、14、3
15 2、27、2

39日　面積クイズ

1 15　**2** 8　**3** 13　**4** 11　**5** 5　**6** 9　**7** 6　**8** 4　**9** 12　**10** 14　**11** 7　**12** 10

■2つの数と3つの数の計算

1 3　**2** 8　**3** 12　**4** 4　**5** 12　**6** 21　**7** 26　**8** 18　**9** 16　**10** 42　**11** 26　**12** 43　**13** 24
14 41　**15** 22　**16** 8　**17** 11　**18** 42　**19** 27　**20** 32　**21** 20　**22** 44　**23** 33　**24** 24　**25** 1　**26** 35
27 11　**28** 3　**29** 25　**30** 16　**31** 23　**32** 19　**33** 12　**34** 36　**35** 7　**36** 22　**37** 6　**38** 35　**39** 17

40日　魔方陣

1
12	5	10
7	9	11
8	13	6

2
10	11	6
5	9	13
12	7	8

3
8	7	12
13	9	5
6	11	10

4
10	5	12
11	9	7
6	13	8

5
8	13	6
7	9	11
12	5	10

6
6	11	10
13	9	5
8	7	12

7
13	18	11
12	14	16
17	10	15

8
9	2	7
4	6	8
5	10	3

9
8	13	12
15	11	7
10	9	14

10
9	4	11
10	8	6
5	12	7

11
11	16	9
10	12	14
15	8	13

12
10	3	8
5	7	9
6	11	4

■しりとり計算（答えは左→右の順）

1 35、32、4、10　**2** 28、4、7、42　**3** 35、5、11、15　**4** 24、8、7、21　**5** 32、24、6、19
6 33、39、36、6　**7** 28、22、23、15　**8** 16、2、14、16　**9** 48、8、3、7　**10** 26、18、9、14
11 11、16、4、12　**12** 29、27、3、15　**13** 21、7、9、17　**14** 16、7、28、31

41日　積み木の体積

1 2+16+4=22　**2** 4+6=10　**3** 12+8=20　**4** 8+16+6=30　**5** 4+16+6=26
6 8+8+2=18　**7** 8+4+9=21　**8** 4+4+4=12

■3つの穴あき計算（答えは左→右の順）

1 6、6、1　**2** 3、5、0　**3** 17、2、11　**4** 8、6、14　**5** 33、6、3　**6** 6、2、3　**7** 27、9、36
8 28、4、30　**9** 12、6、7　**10** 5、8、40　**11** 16、4、13　**12** 8、4、14　**13** 21、1、7　**14** 27、21、3
15 15、9、8　**16** 26、3、29　**17** 14、7、28　**18** 5、3、25　**19** 2、4、16　**20** 24、6、8　**21** 12、3、7
22 15、5、6　**23** 8、5、2　**24** 16、4、19　**25** 10、3、3　**26** 25、5、7

42日　マス計算（足し算10〜30マス）

1
+	6	19	12	11	29	31	7	25	37	4
5	11	24	17	16	34	36	12	30	42	9

【解き方】5＋6の答え

2
+	8	17	38	2	27	21	3	16	10	33
9	17	26	47	11	36	30	12	25	19	42

3
+	0	17	20	12	34	8	19	4	22	35
1	1	18	21	13	35	9	20	5	23	36
7	7	24	27	19	41	15	26	11	29	42

4
+	14	18	30	23	5	10	32	7	28	9
6	20	24	36	29	11	16	38	13	34	15
2	16	20	32	25	7	12	34	9	30	11
8	22	26	38	31	13	18	40	15	36	17

5
+	11	13	1	26	39	36	15	6	24	3
4	15	17	5	30	43	40	19	10	28	7
3	14	16	4	29	42	39	18	9	27	6
9	20	22	10	35	48	45	24	15	33	12

長さの筆算

1 10cm 3mm **2** 20cm 2mm **3** 3cm 4mm **4** 6cm 5mm **5** 19cm 8mm **6** 26cm 1mm **7** 4cm 8mm
8 29cm 4mm **9** 19cm 1mm **10** 6cm 4mm **11** 35cm 1mm **12** 26cm 3mm **13** 5cm 2mm **14** 14cm 4mm
15 8cm 8mm **16** 25cm 1mm **17** 40cm 9mm **18** 31cm 5mm **19** 16cm 2mm **20** 40cm 5mm **21** 26cm 4mm

43日 ツリー足し算（答えは左→右、上→下の順）

1 9、7、16 **2** 3、20 **3** 10、9、19 **4** 10、15、20 **5** 31、34、4 **6** 7、12 **7** 9、14、23
8 4、18 **9** 26、34、36 **10** 3、5、6 **11** 9、14、23 **12** 21、30 **13** 7、14 **14** 7、12、9
15 7、24、7

魔方陣

1

8	1	6
3	5	7
4	9	2

2

6	7	2
1	5	9
8	3	4

3

4	3	8
9	5	1
2	7	6

4

6	1	8
7	5	3
2	9	4

5

4	9	2
3	5	7
8	1	6

6

2	7	6
9	5	1
4	3	8

7

13	6	11
8	10	12
9	14	7

8

9	2	7
4	6	8
5	10	3

9

11	4	9
6	8	10
7	12	5

10

10	3	8
5	7	9
6	11	4

11

12	11	16
17	13	9
10	15	14

12

15	16	11
10	14	18
17	12	13

44日 穴あき筆算（答えは上→下の順）

1 3、6 **2** 5、4 **3** 7、0 **4** 1、2 **5** 2、1 **6** 6、1 **7** 6、1 **8** 3、8 **9** 4、9 **10** 6、4
11 9、7 **12** 2、8 **13** 7、9 **14** 8、5 **15** 0、3 **16** 3、2 **17** 3、2 **18** 7、2 **19** 9、3 **20** 9、8
21 7、5 **22** 0、9 **23** 8、2 **24** 6、8 **25** 4、5 **26** 9、3 **27** 2、2 **28** 7、3

三角形の面積

1 3、6、9 **2** 15 **3** 5 **4** 16 **5** 20 **6** 8 **7** 20 **8** 27 **9** 18 **10** 15 **11** 6 **12** 5

45日 3つの穴あき計算（答えは左→右の順）

1 31、6、28 **2** 5、4、10 **3** 14、3、17 **4** 7、7、35 **5** 2、9、8 **6** 10、9、6 **7** 21、4、1
8 5、6、10 **9** 28、7、3 **10** 26、7、17 **11** 6、3、13 **12** 36、6、5 **13** 5、4、14 **14** 24、6、9
15 20、2、24 **16** 17、0、2 **17** 10、5、7 **18** 15、7、18 **19** 12、4、17 **20** 4、9、1 **21** 8、4、3
22 16、8、20 **23** 5、7、4 **24** 14、3、7 **25** 24、3、26 **26** 9、4、3

しりとり計算（答えは左→右の順）

1 9、35、7、63 **2** 29、27、9、17 **3** 18、9、27、21 **4** 42、33、36、9 **5** 30、22、28、4
6 24、21、7、10 **7** 8、18、3、27 **8** 18、9、21、3 **9** 20、17、26、28 **10** 36、6、10、5
11 20、5、15、21 **12** 15、24、3、21 **13** 25、28、24、6 **14** 19、12、6、42

46日 ■時間の計算

1 242分 **2** 360秒 **3** 73分 **4** 40時間 **5** 148秒 **6** 167分 **7** 327秒 **8** 96時間 **9** 170秒 **10** 600分 **11** 276秒 **12** 119分 **13** 26時間 **14** 6時間41分 **15** 17時間36分 **16** 21時間3分 **17** 17時間19分 **18** 38時間57分 **19** 23時間10分 **20** 46時間58分 **21** 11時間16分 **22** 44時間33分 **23** 7時間48分 **24** 30時間40分 **25** 2時間22分 **26** 24時間19分

■マス引き算

1

22	39	31	35	33	9	16	30	25	10
13	30	22	26	24	0	7	21	16	1

2

13	4	20	31	30	10	34	39	35	5
9	0	16	27	26	6	30	35	31	1

3

13	12	35	25	30	24	6	39	26	2
12	11	34	24	29	23	5	38	25	1

4

30	39	14	18	16	28	17	19	32	10
22	31	6	10	8	20	9	11	24	2

5

4	19	20	17	21	25	5	38	28	37
2	17	18	15	19	23	3	36	26	35

6

13	34	7	8	16	28	36	35	23	33
6	27	0	1	9	21	29	28	16	26

7

19	30	20	12	9	13	18	25	17	16
13	24	14	6	3	7	12	19	11	10

47日 マス計算（足し算50マス）

1

+	4	2	6	8	3	0	1	9	5	7
3	7	5	9	11	6	3	4	12	8	10
1	5	3	7	9	4	1	2	10	6	8
8	12	10	14	16	11	8	9	17	13	15
9	13	11	15	17	12	9	10	18	14	16
2	6	4	8	10	5	2	3	11	7	9

2

+	6	0	7	5	1	2	9	8	3	4
6	12	6	13	11	7	8	15	14	9	10
5	11	5	12	10	6	7	14	13	8	9
7	13	7	14	12	8	9	16	15	10	11
4	10	4	11	9	5	6	13	12	7	8
1	7	1	8	6	2	3	10	9	4	5

3

+	16	13	14	17	19	12	18	10	15	11
6	22	19	20	23	25	18	24	16	21	17
2	18	15	16	19	21	14	20	12	17	13
3	19	16	17	20	22	15	21	13	18	14
9	25	22	23	26	28	21	27	19	24	20
8	24	21	22	25	27	20	26	18	23	19

■2つの数と3つの数の計算

1 42 **2** 17 **3** 8 **4** 25 **5** 24 **6** 16 **7** 8 **8** 14 **9** 4 **10** 19 **11** 23 **12** 20 **13** 4 **14** 34 **15** 29 **16** 16 **17** 34 **18** 9 **19** 20 **20** 40 **21** 5 **22** 6 **23** 20 **24** 11 **25** 2 **26** 16 **27** 41 **28** 7 **29** 45 **30** 7 **31** 29 **32** 26 **33** 31 **34** 27 **35** 15 **36** 24 **37** 32 **38** 1 **39** 24

48日　積み木の体積

1 16＋4＝20　**2** 4＋12＋2＝18　**3** 2＋8＝10　**4** 8＋12＋6＝26　**5** 2＋12＋6＝20
6 8＋8＋6＝22　**7** 10＋6＋8＝24　**8** 4＋8＋10＝22

3つの穴あき計算（答えは左→右の順）

1 16、8、19　**2** 32、7、4　**3** 29、2、23　**4** 17、4、12　**5** 20、9、5　**6** 30、3、26
7 20、3、26　**8** 9、3、45　**9** 8、4、9　**10** 16、8、9　**11** 12、3、6　**12** 3、5、12　**13** 32、4、3
14 8、9、16　**15** 24、15、8　**16** 4、2、11　**17** 28、9、4　**18** 9、6、16　**19** 3、8、6　**20** 2、1、18
21 15、3、4　**22** 18、6、12　**23** 24、8、26　**24** 10、5、4　**25** 6、4、2　**26** 12、9、15

49日　魔方陣

1

13	6	11
8	10	12
9	14	7

2

11	12	7
6	10	14
13	8	9

3

9	8	13
14	10	6
7	12	11

4

11	6	13
12	10	8
7	14	9

5

9	14	7
8	10	12
13	6	11

6

7	12	11
14	10	6
9	8	13

7

10	15	14
17	13	9
12	11	16

8

4	3	8
9	5	1
2	7	6

9

5	4	9
10	6	2
3	8	7

10

14	19	12
13	15	17
18	11	16

11

17	12	19
18	16	14
13	20	15

12

10	5	12
11	9	7
6	13	8

ツリー足し算（答えは左→右、上→下の順）

1 7、12、19　**2** 5、31　**3** 15、11、26　**4** 5、10、15　**5** 27、34、8　**6** 2、12
7 22、31　**8** 21、36　**9** 30、33、42　**10** 5、2、4　**11** 11、9、20　**12** 9、12、21　**13** 7、22
14 11、14、8　**15** 9、22、2

50日　マス計算（足し算50マス）

1

+	1	8	5	6	7	9	0	3	4	2
3	4	11	8	9	10	12	3	6	7	5
6	7	14	11	12	13	15	6	9	10	8
8	9	16	13	14	15	17	8	11	12	10
1	2	9	6	7	8	10	1	4	5	3
5	6	13	10	11	12	14	5	8	9	7

2

+	11	13	15	18	17	12	10	19	16	14
4	15	17	19	22	21	16	14	23	20	18
7	18	20	22	25	24	19	17	26	23	21
9	20	22	24	27	26	21	19	28	25	23
2	13	15	17	20	19	14	12	21	18	16
3	14	16	18	21	20	15	13	22	19	17

3

+	20	28	27	22	26	29	24	25	21	23
7	27	35	34	29	33	36	31	32	28	30
8	28	36	35	30	34	37	32	33	29	31
2	22	30	29	24	28	31	26	27	23	25
5	25	33	32	27	31	34	29	30	26	28
6	26	34	33	28	32	35	30	31	27	29

筆算（途中の計算がある問題は上→下の順）

1 41　**2** 64　**3** 126、210、2226　**4** 63　**5** 10　**6** 320、40、720　**7** 98　**8** 35
9 88、176、1848　**10** 147　**11** 10　**12** 96、240、2496　**13** 129　**14** 6　**15** 42、42、462　**16** 71
17 5　**18** 270、45、720　**19** 137　**20** 12　**21** 434、124、1674　**22** 126　**23** 10　**24** 148、259、2738

51日　いろいろな図形の面積（答えは上段→下段、左→右の順）

1 9、7、63、63、2、2、61　**2** 8、8、64、64、4、4、48　**3** 6、5、30、30、3、2、27
4 7、8、56、56、2、3、50　**5** 9、7、63、63、2、5、53　**6** 5、10、50、50、3、4、38
7 9、9、81、81、6、5、51　**8** 8、6、48、48、2、2、44　**9** 7、5、35、35、4、2、27

魔方陣

1

10	3	8
5	7	9
6	11	4

2

8	9	4
3	7	11
10	5	6

3

6	5	10
11	7	3
4	9	8

4

8	3	10
9	7	5
4	11	6

5

6	11	4
5	7	9
10	3	8

6

4	9	8
11	7	3
6	5	10

7

7	6	11
12	8	4
5	10	9

8

11	6	13
12	10	8
7	14	9

9

12	7	14
13	11	9
8	15	10

10

2	7	6
9	5	1
4	3	8

11

8	7	12
13	9	5
6	11	10

12

17	12	19
18	16	14
13	20	15

52日　マス足し算

1

25	9	7	14	8	22	20	16	24	23
1	17	19	12	18	4	6	10	2	3

2

9	6	28	5	7	25	12	23	8	2
20	23	1	24	22	4	17	6	21	27

3

1	8	6	9	3	2	12	13	0	5
12	5	7	4	10	11	1	0	13	8

4

13	3	20	2	21	17	15	1	16	11
9	19	2	20	1	5	7	21	6	11

5

10	30	24	1	25	14	7	6	9	16
22	2	8	31	7	18	25	26	23	16

6

3	1	8	0	2	7	6	10	5	9
7	9	2	10	8	3	4	0	5	1

7

28	7	2	12	32	6	18	27	19	31
8	29	34	24	4	30	18	9	17	5

時間の計算

1 37時間23分　**2** 4時間43分　**3** 15時間15分　**4** 30時間22分　**5** 2時間5分　**6** 24時間17分
7 26時間51分　**8** 9時間54分　**9** 40時間44分　**10** 21時間7分　**11** 1時間45分　**12** 48時間43分
13 35時間7分　**14** 21時間45分　**15** 10時間21分　**16** 29時間33分　**17** 19時間51分
18 11時間44分　**19** 22時間4分　**20** 6時間50分　**21** 46時間13分　**22** 35時間12分　**23** 42時間50分
24 14時間11分　**25** 38時間57分　**26** 31時間40分

53日 3つの穴あき計算(答えは左→右の順)

1 9、5、27　**2** 33、2、25　**3** 9、7、13　**4** 17、15、23　**5** 30、3、21　**6** 7、8、14　**7** 1、7、6
8 17、8、13　**9** 16、5、2　**10** 5、7、20　**11** 24、1、8　**12** 25、8、1　**13** 12、4、2　**14** 32、8、23
15 2、1、14　**16** 27、21、30　**17** 19、1、15　**18** 20、5、28　**19** 15、5、19　**20** 9、8、3
21 16、10、21　**22** 10、2、16　**23** 14、2、19　**24** 4、9、28　**25** 21、7、25　**26** 10、4、4

ツリー足し算(答えは左→右、上→下の順)

1 8、14、22　**2** 8、30　**3** 8、10、18　**4** 6、9、18　**5** 19、28、6　**6** 3、9　**7** 14、19
8 15、17　**9** 14、18、25　**10** 5、3、2　**11** 9、5、14　**12** 5、11、16　**13** 22、27　**14** 12、14、9
15 5、23、3

54日 立体の体積

1 8×2×4＝64　**2** 2×6×3＝36　**3** 8×8×5＝320　**4** 2×6×6＝72　**5** 5×4×4＝80
6 3×5×8＝120　**7** 2×2×2＝8　**8** 2×5×5＝50　**9** 4×5×9＝180　**10** 3×2×8＝48
11 6×4×4＝96　**12** 2×4×7＝56

2つの数と3つの数の計算

1 12　**2** 0　**3** 4　**4** 17　**5** 2　**6** 27　**7** 10　**8** 8　**9** 8　**10** 31　**11** 4　**12** 13　**13** 34
14 7　**15** 33　**16** 13　**17** 29　**18** 36　**19** 26　**20** 20　**21** 9　**22** 20　**23** 22　**24** 54　**25** 19　**26** 12
27 21　**28** 32　**29** 15　**30** 27　**31** 15　**32** 32　**33** 36　**34** 7　**35** 4　**36** 15　**37** 4　**38** 23　**39** 11

55日 長さの筆算

1 24cm 7mm　**2** 33cm 8mm　**3** 37cm 1mm　**4** 5cm 5mm　**5** 28cm 2mm　**6** 18cm 8mm　**7** 29cm 2mm
8 2cm 1mm　**9** 40cm 6mm　**10** 14cm 7mm　**11** 4cm 1mm　**12** 16cm 7mm　**13** 34cm 2mm　**14** 6cm 7mm
15 21cm 7mm　**16** 11cm 3mm　**17** 46cm 2mm　**18** 23cm 8mm　**19** 7cm 3mm　**20** 27cm 9mm　**21** 16cm 6mm

魔方陣

1

14	7	12
9	11	13
10	15	8

2

12	13	8
7	11	15
14	9	10

3

10	9	14
15	11	7
8	13	12

4

12	7	14
13	11	9
8	15	10

5

10	15	8
9	11	13
14	7	12

6

8	13	12
15	11	7
10	9	14

7

9	10	5
4	8	12
11	6	7

8

6	11	10
13	9	5
8	7	12

9

8	3	10
9	7	5
4	11	6

10

11	10	15
16	12	8
9	14	13

11

5	4	9
10	6	2
3	8	7

12

16	17	12
11	15	19
18	13	14

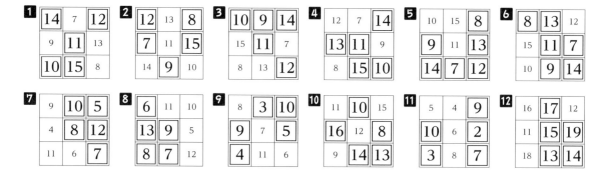

56日　穴あき筆算（答えは上→下の順）

1 3、4　**2** 9、7　**3** 1、6　**4** 8、4　**5** 5、2　**6** 6、2　**7** 4、9　**8** 0、3　**9** 1、3　**10** 6、9
11 3、8　**12** 1、5　**13** 4、0　**14** 0、2　**15** 2、0　**16** 2、4　**17** 6、3　**18** 9、1　**19** 3、5　**20** 2、3
21 0、6　**22** 9、4　**23** 3、1　**24** 9、0　**25** 4、5　**26** 3、1　**27** 4、4　**28** 2、7

■3つの穴あき計算（答えは左→右の順）

1 36、6、37　**2** 8、4、3　**3** 6、1、24　**4** 4、7、13　**5** 7、9、12　**6** 6、6、12　**7** 5、2、45
8 21、3、3　**9** 24、6、18　**10** 3、3、24　**11** 30、24、33　**12** 16、5、8　**13** 1、9、9　**14** 24、8、31
15 25、9、5　**16** 20、4、28　**17** 29、4、7　**18** 9、3、11　**19** 36、1、6　**20** 6、2、30　**21** 5、6、2
22 12、3、4　**23** 15、6、18　**24** 10、5、2　**25** 8、2、40　**26** 16、5、2

57日　マス計算（足し算50マス）

1

+	10	16	19	15	13	11	12	17	14	18
5	15	21	24	20	18	16	17	22	19	23
4	14	20	23	19	17	15	16	21	18	22
7	17	23	26	22	20	18	19	24	21	25
1	11	17	20	16	14	12	13	18	15	19
3	13	19	22	18	16	14	15	20	17	21

2

+	11	29	22	17	20	14	28	23	15	26
8	19	37	30	25	28	22	36	31	23	34
2	13	31	24	19	22	16	30	25	17	28
9	20	38	31	26	29	23	37	32	24	35
6	17	35	28	23	26	20	34	29	21	32
4	15	33	26	21	24	18	32	27	19	30

3

+	16	35	21	32	24	13	38	27	19	30
2	18	37	23	34	26	15	40	29	21	32
9	25	44	30	41	33	22	47	36	28	39
8	24	43	29	40	32	21	46	35	27	38
5	21	40	26	37	29	18	43	32	24	35
7	23	42	28	39	31	20	45	34	26	37

■しりとり計算（答えは左→右の順）

1 18、6、12、16　**2** 17、9、27、9　**3** 28、36、6、54　**4** 14、2、7、16　**5** 35、7、14、20
6 10、15、5、11　**7** 30、26、28、7　**8** 34、27、9、81　**9** 26、20、5、8　**10** 2、10、5、25
11 35、26、32、8　**12** 25、16、9、27　**13** 39、30、5、11　**14** 32、4、28、22

58日　2つの数と3つの数の計算

1 35　**2** 24　**3** 24　**4** 40　**5** 4　**6** 27　**7** 38　**8** 12　**9** 3　**10** 33　**11** 28　**12** 39　**13** 8
14 10　**15** 14　**16** 15　**17** 30　**18** 36　**19** 25　**20** 40　**21** 27　**22** 36　**23** 2　**24** 2　**25** 22　**26** 22
27 11　**28** 6　**29** 12　**30** 8　**31** 22　**32** 7　**33** 36　**34** 20　**35** 30　**36** 8　**37** 1　**38** 64　**39** 29

■いろいろな図形の面積（答えは上段→下段、左→右の順）

1 8、8、64、64、4、2、60　**2** 7、7、49、49、2、3、43　**3** 8、6、48、48、4、2、40
4 9、8、72、72、5、2、62　**5** 8、6、48、48、3、2、45　**6** 7、9、63、63、3、3、54
7 7、9、63、63、4、3、51　**8** 8、6、48、48、2、5、38　**9** 6、6、36、36、2、2、32

59日 ツリー足し算（答えは左→右、上→下の順）

1 9、13、22 **2** 2、27 **3** 11、9、20 **4** 8、17、24 **5** 28、36、9 **6** 3、18 **7** 11、7、18
8 2、31 **9** 25、28、32 **10** 3、7、8 **11** 10、6、16 **12** 19、25 **13** 17、20 **14** 7、21、5
15 5、15、9

面積クイズ

1 13 **2** 5 **3** 11 **4** 9 **5** 15 **6** 7 **7** 12 **8** 10 **9** 14 **10** 8 **11** 4 **12** 6

60日 3つの穴あき計算（答えは左→右の順）

1 16、8、7 **2** 15、9、5 **3** 24、3、17 **4** 28、7、21 **5** 9、9、18 **6** 21、7、9 **7** 30、5、7
8 2、8、11 **9** 36、2、28 **10** 8、4、3 **11** 5、1、30 **12** 6、7、2 **13** 4、2、13 **14** 20、5、3
15 24、9、6 **16** 22、3、14 **17** 1、2、5 **18** 10、7、13 **19** 5、6、6 **20** 32、2、4 **21** 18、3、6
22 12、4、3 **23** 32、1、8 **24** 9、4、1 **25** 15、7、3 **26** 8、4、48

いろいろな図形の面積（答えは上段→下段、左→右の順）

1 5、9、45、45、4、2、37 **2** 7、9、63、63、2、3、57 **3** 6、8、48、48、3、3、39
4 8、9、72、72、6、4、60 **5** 7、7、49、49、2、4、41 **6** 8、6、48、48、2、2、44
7 9、8、72、72、2、6、66 **8** 9、5、45、45、3、2、39 **9** 7、7、49、49、5、2、44

61日 魔方陣

1

15	8	13
10	12	14
11	16	9

2

13	14	9
8	12	16
15	10	11

3

11	10	15
16	12	8
9	14	13

4

13	8	15
14	12	10
9	16	11

5

11	16	9
10	12	14
15	8	13

6

9	14	13
16	12	8
11	10	15

7

14	7	12
9	11	13
10	15	8

8

7	6	11
12	8	4
5	10	9

9

13	18	11
12	14	16
17	10	15

10

4	9	8
11	7	3
6	5	10

11

6	11	10
13	9	5
8	7	12

12

13	6	11
8	10	12
9	14	7

2つの数と3つの数の計算

1 24 **2** 8 **3** 30 **4** 18 **5** 32 **6** 26 **7** 4 **8** 18 **9** 10 **10** 7 **11** 25 **12** 28 **13** 12 **14** 10
15 8 **16** 3 **17** 9 **18** 14 **19** 24 **20** 16 **21** 40 **22** 9 **23** 24 **24** 9 **25** 8 **26** 22 **27** 7 **28** 8 **29** 19
30 32 **31** 56 **32** 12 **33** 40 **34** 33 **35** 11 **36** 9 **37** 25 **38** 3 **39** 13

62日 筆算（途中の計算がある問題は上→下の順）

1 147 **2** 17 **3** 252、378、4032 **4** 113 **5** 5 **6** 310、124、1550 **7** 90 **8** 15
9 752、470、5452 **10** 91 **11** 13 **12** 136、136、1496 **13** 117 **14** 48 **15** 85、102、1105
16 43 **17** 72 **18** 42、42、462 **19** 57 **20** 43 **21** 172、258、2752 **22** 147 **23** 2 **24** 60、40、460

ツリー足し算（答えは左→右、上→下の順）

1 6、5、11 2 8、36 3 9、16、25 4 12、14、23 5 19、26、7 6 9、18 7 15、21 8 7、31 9 31、36、44 10 6、5、4 11 12、7、19 12 17、10、27 13 17、21 14 5、12、3 15 7、28、6

元気脳練習帳
改訂版
脳が活性化する 大人のおもしろ算数 脳ドリル

2022年11月８日　　第１刷発行

監修者　川島隆太
発行人　土屋徹
編集人　滝口勝弘
編集長　古川英二
発行所　株式会社Gakken
〒141－8416　東京都品川区西五反田2-11-8
印刷所　中央精版印刷株式会社

STAFF
編集協力　株式会社エディット
ＤＴＰ　株式会社千里

この本に関する各種お問い合わせ先
●本の内容については、下記サイトのお問い合わせフォームよりお願いします。
https://www.corp-gakken.co.jp/contact/
●在庫については　Tel 03-6431-1250（販売部）
●不良品（落丁・乱丁）については　Tel 0570-000577
学研業務センター
〒 354-0045　埼玉県入間郡三芳町上富 279-1
●上記以外のお問い合わせは　Tel 0570-056-710（学研グループ総合案内）

©Gakken
本書の無断転載、複製、複写（コピー）、翻訳を禁じます。
本書を代行業者等の第三者に依頼してスキャンやデジタル化することは、たとえ個人や家庭内の利用であっても、著作権法上、認められておりません。

学研グループの書籍・雑誌についての新刊情報・詳細情報は、下記をご覧ください。
学研出版サイト　https://hon.gakken.jp/